5 99

D1586000

LE PIGEON

DU MÊME AUTEUR

Le Parfum (Das Parfum), traduit de l'allemand par Bernard Lortholary, Fayard, 1986.

PATRICK SÜSKIND

Le Pigeon

récit
traduit de l'allemand par
BERNARD LORTHOLARY

FAYARD

Ce livre a été publié grâce à la recomman-
dation de MICHEL-FRANÇOIS DEMET.

Cet ouvrage est la traduction intégrale, publiée pour la
première fois en France, du livre de langue allemande :

DIE TAUBE
édité par Diogenes Verlag AG, Zurich

Lorsque lui arriva cette histoire de pigeon qui, du jour au lendemain, bouleversa son existence, Jonathan Noël avait déjà dépassé la cinquantaine, il avait derrière lui une période d'une bonne vingtaine d'années qui n'avait pas été marquée par le moindre événement, et jamais il n'aurait escompté que pût encore lui arriver rien de notable, sauf de mourir un jour. Et cela lui convenait tout à fait. Car il n'aimait pas les événements, et il avait une véritable horreur de ceux qui ébranlaient son équilibre intérieur et chamboulaient l'ordonnance de sa vie.

La plupart des événements de ce genre se situaient, Dieu merci, fort loin dans les temps anciens de son enfance et de sa jeunesse, et il préférait ne plus s'en souvenir du tout, ou bien alors ce n'était qu'avec un extrême déplaisir. Ainsi, un après-midi d'été, du côté de Charenton, en juillet 1942, comme il revenait de pêcher à la ligne — il avait fait un orage, ce jour-là, et puis il avait plu, après une longue période de chaleur, et sur le chemin du retour, il avait ôté ses chaussures, avait marché pieds nus sur l'asphalte chaud et trempé, il avait pataugé dans les flaques, plaisir indescriptible... — il revenait donc de pêcher à la ligne et avait couru à la cuisine, pensant trouver sa mère en train de préparer le repas, et voilà que sa mère n'y était plus, il n'y avait plus que son tablier, jeté sur le dossier de la chaise. Son père lui avait dit que sa mère était partie, elle y avait été obligée, pour un voyage qui durerait assez longtemps. On l'a emmenée, dirent les voisins, on l'a d'abord menée au Vélodrome d'Hiver, puis au camp de Drancy, de là on part vers l'Est, et personne n'en revient. Et Jonathan ne comprit rien à cet événement, l'événement l'avait complètement désorienté, et quelques jours plus tard son père avait disparu lui aussi, et Jonathan et sa petite sœur se retrouvèrent dans un train qui roulait vers le sud, et d'abord des hommes complètement inconnus leur firent traverser un pré, les traînèrent à travers un bois et les mirent à nouveau dans un train qui roula vers le sud, très loin, incompréhensiblement loin, et un oncle qu'ils n'avaient encore jamais vu vint les chercher à Cavaillon et les emmena dans sa ferme, près de la localité de Puget, dans la vallée de la Durance, et les y cacha jusqu'à la fin de la guerre. Ensuite, il les fit travailler dans les champs de légumes.

Au début des années cinquante — Jonathan commençait à prendre goût à sa vie de travailleur agricole — l'oncle exigea qu'il parte pour l'armée, et Jonathan s'engagea docilement pour trois ans. Pendant la première année, il fut exclusivement occupé à s'accoutumer aux désagréments de la vie grégaire et brutale des casernes. La deuxième année, il fut embarqué pour l'Indochine. Il passa le plus clair de la troisième année à l'hôpital, avec une blessure au pied, une blessure à la jambe et une dysenterie amibienne. Quand il revint à Puget, au printemps 1954, sa sœur avait disparu ; émigrée au Canada, lui dit-on. L'oncle exigea alors que Jonathan se marie dans les plus brefs délais, et ce avec une jeune fille du nom de Marie Baccouche, du village voisin de Lauris, et Jonathan, qui n'avait encore jamais vu la jeune fille, fit gentiment ce qu'on lui disait, et le fit même de bon cœur ; car, bien qu'il n'eût qu'une idée peu précise de ce qu'était le mariage, il espérait néanmoins y trouver enfin cet état de calme monotone et exempt d'événements qui était tout ce qu'il désirait. Mais au bout de quatre mois déjà, Marie

9

Baccouche mit au monde un petit garçon, et dès l'automne de la même année elle filait avec un Tunisien, fruitier à Marseille...

De toutes ces péripéties, Jonathan Noël tira la conclusion qu'on ne pouvait se fier aux humains et qu'on ne saurait vivre en paix qu'en les tenant à l'écart. Et comme de surcroît il était à présent l'objet des railleries du village — ce qui ne le dérangeait pas à cause des railleries en elles-mêmes, mais à cause de l'attention générale qu'il suscitait par là —, pour la première fois de sa vie il prit une décision par lui-même : il alla au Crédit Agricole, retira ses économies, fit sa valise et prit le train pour Paris.

Il eut alors, par deux fois, beaucoup de chance. Il trouva du travail comme vigile d'une banque de la rue de Sèvres, et il trouva un logement, une chambre de bonne, au sixième étage d'un immeuble de la rue de la Planche. On y accédait en passant par l'arrière-cour, par le petit escalier de service et par un étroit couloir prenant maigrement le jour par une seule fenêtre. Sur ce couloir donnaient deux douzaines de petites chambres aux portes numérotées et peintes en gris, et tout au fond se trouvait le numéro 24, la chambre de Jonathan. Elle mesurait trois mètres quarante de long, deux mètres vingt de large et deux mètres cinquante de haut, et offrait pour tout confort un lit, une table, une chaise, une ampoule électrique et un portemanteau, rien d'autre. Il fallut attendre les années soixante pour qu'on renforce les lignes électriques, de sorte qu'on put brancher un réchaud et un radiateur, et pour qu'on installe des conduites d'eau, si bien que les chambres furent dotées de lavabos et de chauffe-eau. Jusque-là, tous les habitants des chambres de bonne, sauf s'ils utilisaient indûment un réchaud à alcool, mangeaient froid, dormaient sans chauffage, et lavaient leurs chaussettes, leur petite vaisselle, et se lavaient eux-mêmes à l'eau froide, à un seul point d'eau, dans le couloir, juste à côté de la porte des w.-c. communs. Tout cela ne gênait nullement Jonathan. Ce n'était pas le confort qu'il recherchait, mais une demeure sûre, qui lui appartînt à lui et à lui seul, qui le mît à l'abri des surprises désagréables de la vie, et d'où personne ne pourrait plus le chasser. Et lorsqu'il pénétra pour la première fois dans la chambre numéro 24, il sut aussitôt à quoi s'en tenir : c'est ça, c'est ce que tu voulais en fait depuis toujours, c'est là que tu demeureras. (Tout comme c'est, paraît-il, le cas de bien des hommes qui connaissent ce qu'on appelle le coup de foudre et qui, en un éclair éblouissant, savent que cette femme qu'ils n'avaient jamais vue est la femme de leur vie,

11

qu'ils la posséderont et qu'ils resteront auprès d'elle jusqu'à la fin de leurs jours.)

Jonathan Noël loua cette chambre pour cinq mille anciens francs par mois ; de là il se rendait chaque matin à son travail dans la toute proche rue de Sèvres, rentrait le soir avec du pain, du saucisson, des pommes et du fromage, mangeait, dormait, et était heureux. Le dimanche, il ne quittait pas sa chambre, il y faisait le ménage et mettait des draps propres à son lit. Il vécut ainsi tranquille et content, année après année, lustre après lustre.

Certaines réalités extérieures changèrent entre-temps, comme le montant des loyers et le style des locataires. Dans les années cinquante, beaucoup de bonnes logeaient encore dans les autres chambres, et de jeunes couples, et quelques retraités. Par la suite, on vit fréquemment emménager et déménager des Espagnols, des Portugais, des Maghrébins. A partir de la fin des années soixante, il y eut une majorité d'étudiants. Finalement, les vingt-quatre chambrettes ne furent plus toutes louées. Beaucoup restèrent vides, ou bien servirent à leurs propriétaires, occupants des appartements bourgeois des étages moins élevés, de débarras ou de chambres de dépannage pour des hôtes occasionnels. Au cours des années, le numéro 24 de Jonathan était devenu un logis relativement confortable. Il avait acheté un lit neuf, installé un placard, recouvert de moquette grise ses sept mètres carrés et demi de sol, et habillé son coin-toilette-et-cuisine d'un beau papier plastifié de couleur rouge. Il possédait une radio, un appareil de télévision et un fer à repasser. Ses provisions n'étaient plus accrochées comme auparavant dans un sac, à l'extérieur de la fenêtre, il les conservait dans un minuscule frigo placé sous le lavabo, si bien que, même au plus fort de l'été, il n'avait plus son beurre qui coulait ou son jambon qui séchait. A la tête de son lit, il avait installé une étagère, où il n'y avait pas moins de dix-sept livres : une petite encyclopédie médicale en trois volumes, quelques beaux ouvrages illustrés sur l'homme de Cro-Magnon, la métallurgie de l'âge du bronze, l'Égypte des pharaons, les Étrusques, et la Révolution française ; un livre sur la marine à voile, un sur les drapeaux, un sur la faune tropicale, deux romans d'Alexandre Dumas père, les *Mémoires* de Saint-Simon, un livre de cuisine sur les repas à plat unique, le *Petit Larousse* et le *Manuel des personnels de garde et de surveillance, comprenant en particulier les consignes concernant l'utilisation du pistolet réglementaire.* Sous le lit était entreposée une douzaine de bouteilles de vin rouge, dont une de Château Cheval-Blanc, grand cru classé, que Jonathan gardait pour le jour où il prendrait sa retraite, en 1998. Une ingénieuse disposition des lampes électriques faisait qu'en trois différents endroits de sa chambre — à savoir au pied comme à la tête de son lit, et devant sa petite table — Jonathan pouvait s'asseoir et lire son journal sans être ébloui et sans se faire de l'ombre.

Du fait de ces nombreuses acquisitions, il est vrai que la chambre était devenue encore plus petite, elle s'était quasiment développée vers l'intérieur comme un coquillage qui aurait sécrété trop de nacre, et avec tous ses aménagements divers et raffinés elle ressemblait plutôt à une cabine de bateau, ou à un compartiment luxueux de wagon-lits, qu'à une modeste chambre de bonne. Mais elle avait conservé, trente années durant, sa qualité essentielle : elle était et demeurait pour Jonathan, dans un monde peu sûr, un îlot de sécurité, elle restait son ancrage et son refuge, sa maîtresse, oui, sa maîtresse, car elle l'accueillait tendrement en elle, sa petite chambre, lorsqu'il rentrait le soir, elle le réchauffait et le protégeait, elle nourrissait son corps et son âme, elle était toujours là quand il avait besoin d'elle, et elle ne l'abandonnait jamais. Elle était de fait la seule chose qui, dans sa vie, se fût avérée digne de confiance. Et c'est pourquoi il n'avait jamais songé un instant à se séparer d'elle, même maintenant qu'il avait plus de cinquante ans et qu'à l'occasion il éprouvait quelque peine à gravir jusqu'à elle tous les escaliers, et que ses appointements lui auraient permis de louer un véritable appartement et d'avoir sa cuisine, ses w.-c. et sa salle de bain. Il restait fidèle à sa maîtresse, il était même sur le point de resserrer encore les liens qui les unissaient l'un à l'autre. Il entendait rendre leur liaison à tout jamais indissoluble, il voulait en effet l'acheter. Il avait déjà passé contrat avec Mme Lassalle, sa propriétaire. Cela allait lui coûter cinquante-cinq mille nouveaux francs. Il en avait déjà versé quarante-sept mille. Les huit mille restants étaient payables à la fin de l'année. Et dès lors elle serait définitivement à lui, et rien au monde ne pourrait désormais les arracher l'un à l'autre, lui, Jonathan, et sa chambre chérie, jusqu'à ce que la mort les sépare.

Voilà où en étaient les choses lorsqu'en août 1984, un vendredi matin, se produisit l'histoire du pigeon.

JONATHAN venait juste de se lever. Il avait mis ses pantoufles et son peignoir de bain, afin de se rendre, comme chaque matin avant de se raser, aux w.-c. de l'étage. Avant d'ouvrir la porte, il y appliqua son oreille pour s'assurer qu'il n'entendait personne dans le couloir. Il n'aimait pas rencontrer des voisins, et surtout pas en pyjama et en peignoir, et encore moins sur le chemin des w.-c. Trouver les toilettes occupées eût déjà été passablement déplaisant ; mais ce qui était proprement atroce, c'était l'idée de se heurter à un autre locataire *devant* les toilettes. Une seule fois, cela lui était arrivé, dans l'été 1959, voilà vingt-cinq ans, et il frémissait rien que d'y repenser : cette frayeur simultanée à la vue de l'autre, cette perte simultanée de l'anonymat dans une entreprise qui précisément exigeait l'anony-mat, cette façon simultanée de battre en

retraite et d'avancer à nouveau, ce bredouil-
lement simultané de politesses, je vous en
prie, après vous, mais non, après vous Monsieur, j'ai tout le temps, non, vous d'abord,
j'insiste... et tout cela en pyjama ! Non, il ne
voulait plus jamais vivre un moment pareil,
et d'ailleurs il ne l'avait jamais plus vécu,
grâce à l'application prophylactique de son
oreille. En l'appliquant ainsi sur la porte, il
voyait, à travers, ce qui se passait dans le
couloir. Il savait le sens de chaque grincement,
de chaque bruit de serrure, il savait interpré-
ter chaque clapotis et chaque sifflement discret, voire le silence lui-même. Et maintenant
qu'il avait écouté seulement quelques secondes,
l'oreille contre la porte, il avait la certitude
qu'il n'y avait pas âme qui vive dans le
couloir, que les toilettes étaient libres, que
tout le monde dormait encore. De la main
gauche il tourna le bouton du verrou de
sécurité, de la droite la poignée de la serrure,
le pène rentra, Jonathan tira d'une secousse
légère, et la porte s'entrebâilla, puis s'ouvrit.

Pour un peu, il avait déjà enjambé le
seuil, son pied était déjà en l'air, le gauche,
sa jambe était déjà lancée en avant... quand
il le vit. Il était posé devant sa porte, à moins
de vingt centimètres du seuil, dans la lueur
blafarde du petit matin qui filtrait par la
fenêtre. Il avait ses pattes rouges et crochues

17

plantées sur le carrelage sang de bœuf du couloir, et son plumage lisse était d'un gris de plomb : le pigeon.

Il avait penché sa tête de côté et fixait Jonathan de son œil gauche. Cet œil, un petit disque rond, brun avec un point noir au centre, était effrayant à voir. Il était fixé comme un bouton cousu sur le plumage de la tête, il était dépourvu de cils et de sourcils, il était tout nu et impudemment tourné vers l'extérieur, et monstrueusement ouvert ; mais en même temps il y avait là, dans cet œil, une sorte de sournoiserie retenue ; et, en même temps encore, il ne semblait être ni sournois, ni ouvert, mais tout simplement sans vie, comme l'objectif d'une caméra qui avale toute lumière extérieure et ne laisse passer aucun rayon en provenance de son intérieur. Il n'y avait pas d'éclat, pas de lueur dans cet œil, pas la moindre étincelle de vie. C'était un œil sans regard. Et il fixait Jonathan.

Une frayeur mortelle : c'est sans doute ainsi qu'après coup il aurait décrit ce moment, mais ce n'eût pas été juste, car la frayeur ne vint que plus tard. C'était bien plutôt une mortelle stupéfaction.

Pendant peut-être cinq, peut-être dix secondes — il lui parut à lui que c'était pour toujours —, il resta figé, la main sur la poignée et le pied levé pour faire son premier pas, sans pouvoir avancer ni reculer. Puis il se produisit un petit mouvement. Ou bien le pigeon prit appui sur son autre patte, ou bien il se rengorgea un petit peu, en tout cas une brève secousse parcourut son corps, et en même temps deux paupières se refermèrent d'un coup sec sur son œil, l'une d'en bas et l'autre d'en haut, pas vraiment des paupières, en fait, mais plutôt des sortes de clapets en caoutchouc qui, comme des lèvres surgies de nulle part, avalèrent l'œil. Pour un moment, il avait disparu. Et c'est là seulement que Jonathan sentit la fulguration de la frayeur, là que ses cheveux se hérissèrent d'une horreur panique. D'un bond en arrière, il se jeta dans sa chambre et claqua la porte avant que l'œil du pigeon ait eu le temps de se rouvrir. Il tourna le verrou, fit en titubant les trois pas jusqu'à son lit et s'y assit en tremblant, son cœur battant la chamade. Il avait le front glacé et, sur sa nuque et le long de son échine, il sentit la sueur qui se mettait à ruisseler.

Sa première pensée fut qu'il allait avoir un infarctus ou une attaque, ou pour le moins une syncope ; tu as l'âge qu'il faut pour toutes ces choses-là, songea-t-il ; passé cinquante ans, la moindre occasion est bonne pour ce genre de tuile. Et il se laissa tomber de côté sur son

lit, tira la couverture sur ses épaules frisson-
nantes et attendit la douleur convulsive, l'élan-
cement dans la poitrine ou dans l'épaule (il
avait lu un jour dans sa petite encyclopédie
médicale que tels étaient les symptômes infail-
libles de l'infarctus), ou bien un lent obscur-
cissement de la conscience. Mais voilà qu'il
ne se produisait rien de tel. Les battements
du cœur se calmaient, le sang de nouveau
irriguait uniformément la tête et les membres,
et les signes de paralysie caractéristiques
d'une attaque n'apparaissaient pas. Jonathan
pouvait bouger les orteils et les doigts, et
contraindre son visage à faire des grimaces,
signe qu'organiquement et neurologiquement
tout était à peu près en état de fonctionner.

Mais, en revanche, il tourbillonnait dans
son cerveau une masse confuse d'idées terri-
fiantes sans coordination aucune, comme un
vol de noirs corbeaux, et cela criait et battait
des ailes dans sa tête et cela croassait : tu es
fini ! tu es vieux et tu es fini, tu laisses un
pigeon te faire une frayeur mortelle, un
pigeon t'oblige à te réfugier dans ta chambre,
te flanque par terre, te tient prisonnier. Tu
vas mourir, Jonathan, tu vas mourir, si ce
n'est tout de suite ce sera pour bientôt, et ta
vie aura été ratée, tu l'as gâchée, car la voici
toute chamboulée par un pigeon ; il faut que
tu le tues, mais tu es incapable de le tuer, tu

es incapable de tuer une mouche, ou bien si, une mouche encore à la rigueur, ou un moustique, ou un petit insecte, mais jamais une chose qui a du sang chaud, un être à sang chaud et qui pèse son poids comme un pigeon, tu tirerais plutôt sur un homme, pan-pan, c'est vite fait, ça fait juste un petit trou, de huit millimètres, c'est propre et c'est permis, en cas de légitime défense c'est permis, paragraphe un du règlement pour les personnels de surveillance ayant droit au port d'arme, c'est même recommandé, personne ne te fera le moindre reproche si tu abats un homme, au contraire, mais un pigeon ? comment abat-on un pigeon ? ça volette, un pigeon, ça se rate facilement, c'est troubler l'ordre public que de tirer sur un pigeon, c'est interdit, cela entraîne le retrait du port d'arme, la perte de ton emploi, tu te retrouves en prison si tu tires sur un pigeon, non, tu ne peux pas le tuer ; mais vivre, tu ne peux pas non plus vivre avec lui, jamais, dans une maison habitée par un pigeon un homme ne saurait continuer à vivre, un pigeon, c'est le chaos et l'anarchie en personne, ça voltige en tous sens de façon imprévisible, ça s'agrippe et ça vous picore les yeux, un pigeon, ça salit sans arrêt et ça dégage une nuée de bactéries pernicieuses et de virus de la méningite ; ça ne reste pas seul, un pigeon, ça en attire

21

d'autres, ça s'accouple et ça se reproduit à une vitesse folle, tu vas être assiégé par une armée de pigeons, tu ne pourras plus quitter ta chambre, tu mourras de faim, tu seras asphyxié par tes excréments, tu seras forcé de te jeter par la fenêtre et tu iras te fracasser sur le trottoir ; non, tu seras trop lâche, tu resteras enfermé dans ta chambre et tu crieras au secours, tu crieras qu'on appelle les pompiers, pour qu'ils viennent avec des échelles et qu'ils te sauvent d'un pigeon, d'un pigeon ! Tu seras la risée de l'immeuble, la risée de tout le quartier, on s'exclamera : « Regardez Monsieur Noël ! » et on te montrera du doigt : « Regardez, Monsieur Noël a besoin qu'on vienne à son secours à cause d'un pigeon ! » Et on te mettra dans une clinique psychiatrique. Oh, Jonathan, Jonathan, ta situation est désespérée, tu es perdu, Jonathan !

Voilà les cris et les croassements qui retentissaient dans sa tête, et Jonathan en était si désorienté et si désespéré qu'il fit une chose qu'il n'avait plus faite depuis ses années d'enfance : dans sa détresse, il joignit les mains et pria. « Mon Dieu, mon Dieu, pria-t-il, pourquoi m'as-Tu abandonné ? Pourquoi ai-je droit de Ta part à pareil châtiment ? Notre Père qui es aux cieux, sauve-moi de ce pigeon ! Amen. » Ce n'était pas, on le voit, une prière en bonne et due forme, c'était plutôt, fait de pièces et de morceaux empruntés à ses rudiments d'instruction religieuse, un bredouillis qu'il émettait là. Mais cela l'aida tout de même, car cela exigeait un certain degré de concentration intellectuelle, et cela chassa toutes ces pensées confuses. Autre chose l'aida encore davantage. C'est qu'à peine sa prière terminée, il éprouva une si impérieuse envie de pisser qu'il se rendit compte qu'il allait souiller le lit où il était étendu, son beau matelas à ressorts, ou bien sa belle moquette grise, s'il ne trouvait pas moyen de se soulager autrement dans les secondes qui venaient. Cela le fit revenir tout à fait à lui. Il se leva en gémissant, jeta un regard désespéré vers la porte... Non, il ne pouvait franchir cette porte, même si ce maudit oiseau était à présent parti, il ne pourrait pas arriver jusqu'aux toilettes... Il alla vers le lavabo, ouvrit d'un coup son peignoir, rabattit d'un coup le pantalon de son pyjama, ouvrit le robinet et pissa dans le lavabo.

Il n'avait jamais fait une chose pareille. Quelle horreur, la simple idée de pisser carrément dans un beau lavabo blanc, impeccablement récuré, servant à la toilette et à la vaisselle ! Jamais il n'aurait cru qu'il tomberait si bas, jamais qu'il serait même physiquement capable de commettre un tel sacrilège. Et en voyant maintenant son urine couler sans la moindre retenue ni contrainte, se mélanger à l'eau et disparaître en gargouillant par la bonde, et en sentant comment le ballonnement de son bas-ventre s'atténuait merveilleusement, voilà que les larmes en même temps se mirent à lui couler des yeux, tellement il avait honte. Lorsqu'il eut fini, il laissa l'eau couler encore un moment et nettoya le lavabo à fond avec un détergent liquide, pour effacer jusqu'aux plus petites traces de son forfait. « Une exception n'est pas la règle », se dit-il à mi-voix comme pour s'excuser devant le lavabo, devant la chambre ou devant lui-même, « l'exception n'est pas la règle, c'était une situation d'urgence exceptionnelle, cela ne se reproduira sûrement pas... ».

Dès lors, il se calma. Les gestes de nettoyer, de ranger le flacon de détergent, de tordre son chiffon pour l'essorer — ces gestes souvent faits, familiers et rassurants — lui firent retrouver le sens pratique. Il regarda l'heure. Il était tout juste sept heures et quart passées. Normalement, à sept heures et quart, il était déjà rasé et il faisait son lit. Mais le retard était encore raisonnable, il allait pouvoir le rattraper, au besoin en renonçant à son petit déjeuner. S'il y renonçait, calcula-t-il, il serait même en avance de sept minutes

24

sur son horaire habituel. Ce qui comptait, c'était uniquement qu'il quittât sa chambre à huit heures cinq, car il fallait qu'il fût à la banque à huit heures un quart. Comment il allait s'y prendre, il n'en savait rien encore, mais enfin il avait encore un délai de grâce de trois quarts d'heure. C'était beaucoup. Trois quarts d'heure, cela faisait beaucoup de temps lorsqu'on venait de voir la mort en face et d'échapper de justesse à un infarctus. Cela faisait deux fois plus de temps encore lorsqu'on n'était plus soumis à la pression impérieuse d'une vessie pleine. Il résolut donc de se comporter pour l'instant comme si rien ne s'était passé et de vaquer à ses habituelles occupations du matin. Il fit couler l'eau chaude dans le lavabo et se rasa.

Tout en se rasant, il réfléchit sérieusement. « Jonathan Noël, se dit-il, tu as été soldat en Indochine deux années durant, et tu t'y es tiré de plus d'une situation critique. Si tu rassembles tout ton courage et toute ton ingéniosité, si tu te cuirasses en conséquence et si tu as de la chance, on peut penser que tu réussiras une sortie hors de cette chambre. Mais, la sortie effectuée, que se passera-t-il ? Qu'arrivera-t-il si effectivement tu contournes cette affreuse bête devant la porte, si tu atteins sain et sauf la cage de l'escalier et si tu prends le large ? Tu pourras te rendre à ton travail, tu pourras survivre sans encombre à cette journée... Mais que feras-tu alors ? Où iras-tu ce soir ? Où passeras-tu la nuit ? » Car ce pigeon — s'il réussissait à lui échapper une fois — il ne voulait pas le rencontrer une seconde fois, il ne voulait à aucun prix vivre sous le même toit que ce pigeon, pas un seul jour, pas une nuit, pas une heure : c'était pour lui une décision irrévocable. Il fallait donc qu'il se tînt prêt à passer cette nuit dans une pension, et peut-être aussi les nuits suivantes. Cela signifiait qu'il lui fallait emporter de quoi se raser, sa brosse à dents, et du linge de rechange. En outre, il avait besoin de son carnet de chèques et, par sécurité, aussi de son livret d'épargne. Il avait douze cents francs sur son compte courant. Cela suffirait pour deux semaines, à condition de trouver un hôtel bon marché. Si alors le pigeon bloquait toujours sa chambre, il faudrait entamer ses économies. Sur son compte d'épargne, il avait six mille francs, c'était énormément d'argent. De quoi vivre à l'hôtel pendant des mois. Et puis, par-dessus le marché, il touchait son salaire, trois mille sept cents francs par mois, impôts déduits. En revanche, il fallait payer à la fin de l'année huit mille francs à Mme Lassalle, le solde du prix de la chambre. De sa chambre. De cette chambre qu'il n'allait plus habiter du tout.

Comment expliquer à Mme Lassalle qu'il sollicitait un délai pour ce dernier versement ? Il ne pouvait tout de même guère lui dire : « Madame, je ne puis vous verser ces derniers huit mille francs parce que j'habite depuis des mois à l'hôtel, du fait que la chambre que je veux vous acheter est bloquée par un pigeon... » Il ne pouvait tout de même guère lui dire cela. Il lui revint alors à l'esprit qu'il possédait encore cinq pièces d'or, cinq napoléons dont chacun valait bien ses six cents francs et qu'il s'était achetés en 1958, pendant la guerre d'Algérie, par peur de l'inflation. Il ne fallait surtout pas qu'il oublie d'emporter ces cinq napoléons... Et il possédait encore un mince bracelet d'or qui lui venait de sa mère. Et son poste à transistors. Et un stylo à bille en argent, très chic, que tous les employés de la banque avaient eu comme cadeau de Noël. S'il vendait tous ces trésors, il pourrait, en étant très économe, vivre à l'hôtel jusqu'à la fin de l'année et verser tout de même ses huit mille francs à Mme Lassalle. A partir du premier janvier, la situation serait déjà plus favorable, car alors il serait propriétaire de la chambre et n'aurait plus à payer de loyer. Et peut-être que le pigeon ne survivrait pas à l'hiver. Combien de temps cela vivait, un pigeon ? Deux ans, trois ans, dix ans ? Et si c'était un vieux pigeon ? Peut-être qu'il mour-

rait dans une semaine ? Peut-être qu'il allait
mourir dès aujourd'hui ? Peut-être qu'il n'était
venu que pour mourir...

Il avait fini de se raser ; il vida le lavabo,
le rinça, le remplit de nouveau, se lava le
torse et les pieds, se brossa les dents, vida
encore le lavabo et le nettoya avec le chiffon.
Puis il fit son lit.

Sous l'armoire, il avait une vieille valise
en carton où il entreposait son linge sale,
pour le porter une fois par mois à la laverie.
Il alla prendre cette valise, la vida et la posa
sur le lit. C'était avec cette valise qu'il avait
fait en 1942 le trajet de Charenton à Cavaillon, et qu'il était arrivé à Paris en 1954.
Quand il vit cette vieille valise posée sur son
lit et qu'il commença de la remplir, non pas
de linge sale, mais avec du linge propre, une
paire de souliers bas, son nécessaire de toilette, un fer à repasser, un carnet de chèques
et ses objets de valeur — comme pour un
voyage —, voilà encore que les larmes lui
vinrent aux yeux, non de honte cette fois,
mais de désespoir muet. Il avait l'impression
d'être rejeté trente ans en arrière dans sa vie,
d'avoir perdu trente années de sa vie.

Lorsqu'il eut bouclé sa valise, il était huit
heures moins un quart. Il s'habilla, en
commençant par l'uniforme habituel : pantalon gris, chemise bleue, blouson de cuir,

ceinturon de cuir avec l'étui du pistolet, casquette réglementaire grise. Puis il s'équipa pour la rencontre avec le pigeon. Ce qui lui répugnait le plus, c'était l'idée que le pigeon puisse entrer en contact physique avec lui, que, par exemple, il lui picore les chevilles ou qu'en s'envolant il lui effleure de ses ailes les mains ou le cou, ou bien, pis encore, qu'il se pose sur lui avec ses pattes écartées et cro- chues. Aussi ne mit-il pas ses souliers bas en cuir fin, mais ses grandes bottes inélégantes, avec semelles de peau de mouton, dont d'habitude il ne se servait qu'en janvier ou février ; il enfila son manteau d'hiver, le boutonna du bas jusqu'en haut, s'enroula une écharpe de laine autour du cou jusqu'à se couvrir le menton, et se protégea les mains avec des gants de cuir fourrés. Dans sa main droite, il prit son parapluie. Ainsi équipé, à huit heures moins sept, il était prêt à tenter sa sortie.

Il ôta sa casquette réglementaire et appli- qua son oreille contre la porte. On n'entendait rien. Il remit sa casquette, se l'enfonça soli- dement sur le front, prit sa valise et la posa à portée de main près de la porte. Pour avoir la main droite libre, il accrocha le parapluie à son poignet, puis de la main droite il saisit le loquet, de la gauche le bouton du verrou de sécurité, tourna pour faire rentrer le pène, et entrebâilla la porte. Il jeta au-dehors un regard inquisiteur.

Le pigeon n'était plus devant la porte. Sur le carreau où il s'était posé, il n'y avait plus désormais qu'une tache vert émeraude de la taille d'une pièce de cinq francs, et une minuscule plume, duveteuse et blanche, qui frémissait légèrement dans le courant d'air de la porte entrebâillée. Jonathan frissonna de dégoût. Pour un peu, il aurait immédiatement claqué la porte à nouveau. Sa nature instinctive voulait reculer, se réfugier dans sa chambre, à l'abri, fuir l'horreur qui se trouvait là, dehors. Mais alors il vit qu'il n'y avait pas là une tache unique, mais qu'il y avait beaucoup de taches. Toute la portion du couloir qu'il pouvait parcourir du regard était constellée de ces taches vert émeraude à l'éclat humide. Et il se passa alors cette chose étrange que la multiplicité de ces ignominies, loin d'augmenter le dégoût de Jonathan, accrut au contraire sa détermination à résister : la première tache isolée et la première petite plume l'auraient sans doute fait reculer, et il aurait refermé la porte à jamais. Mais que le pigeon eût manifestement conchié tout le couloir, cette universalité de l'odieux phénomène mobilisa tout son courage. Il ouvrit grand la porte.

Alors il vit le pigeon. Il était posé vers la

droite, à une distance d'un mètre et demi, tassé dans un coin tout à l'extrémité du couloir. Il y avait là-bas si peu de lumière, et d'ailleurs Jonathan jeta dans sa direction un regard si bref, qu'il ne put distinguer si la bête était endormie ou éveillée, si elle avait les yeux ouverts ou fermés. Il n'avait d'ailleurs aucune envie de le savoir. Il aurait préféré ne l'avoir pas vue du tout. Dans son livre sur la faune tropicale, il avait lu un jour que certains animaux, surtout les orangs-outans, ne se jetaient sur les hommes que si on les regardait dans les yeux ; si on les ignore, il paraîtrait qu'ils vous laissent tranquille. Peut-être que cela valait aussi pour les pigeons. En tout cas, Jonathan décida de faire comme si le pigeon n'existait plus et, au moins, de ne pas le regarder.

Il poussa lentement sa valise dans le couloir, tout à fait lentement et prudemment, entre les taches vertes. Puis il ouvrit le parapluie, le tint de la main gauche devant sa poitrine et son visage comme un bouclier, sortit dans le couloir, sans cesser de prendre garde aux taches sur le sol, et referma la porte derrière lui. Quoiqu'il se fût bien promis de faire comme si de rien n'était, l'angoisse le saisit tout de même à nouveau, et il sentit son cœur battre jusqu'au fond de sa gorge ; et quand, de ses doigts gantés, il ne parvint

pas tout de suite à extraire sa clé de sa poche,
il se mit à trembler de nervosité au point que
le parapluie faillit lui échapper ; et quand il
le rattrapa de la main droite pour le coincer
entre son épaule et sa joue, voilà que la clé
tomba pour le coup, et il s'en fallut de très
peu qu'elle ne tombât en plein dans une de
ces taches, et il dut se pencher pour la
ramasser ; et lorsqu'il l'eut enfin bien en
main, l'excitation fit qu'il la mit trois fois à
côté de la serrure avant de l'y introduire et
de lui faire faire deux tours. A ce moment, il
eut l'impression d'entendre derrière lui un
bruit d'ailes... A moins qu'il n'eût seulement
heurté le mur avec le parapluie ?... Alors il
entendit à nouveau, sans aucun doute possible, un battement d'ailes bref et sec, et là il
fut saisi de panique. Il arracha la clé de la
serrure, empoigna au vol sa valise et détala.
Le parapluie ouvert raclait contre le mur, la
valise bringuebalait contre les portes des
autres chambres, à mi-distance les vantaux
de la fenêtre obstruaient le couloir, il passa
en force, tirant derrière lui le parapluie d'une
manière si violente et maladroite que la toile
partit en lambeaux, il n'y fit pas attention,
tout lui était égal, il ne songeait qu'à partir,
partir, partir.

Ce n'est qu'une fois arrivé sur le palier
qu'il s'arrêta un instant pour refermer ce

satané parapluie, et qu'il jeta un coup d'œil
en arrière : par la fenêtre, les premiers
rayons du soleil matinal tombaient dans le
couloir, découpant dans la pénombre un bloc
de lumière aux arêtes précises. On ne pouvait
guère voir au travers, et ce n'est qu'en
clignant des yeux et en y regardant à deux
fois que Jonathan parvint à voir, tout au fond,
le pigeon qui s'arrachait à son coin sombre,
faisait en avant quelques pas rapides et vacil-
lants, puis se posait à nouveau juste devant la
porte de sa chambre.

Avec horreur il se détourna, et descendit
l'escalier. Il était sûr à cet instant de ne jamais
pouvoir revenir.

De marche en marche, il se calma. Sur le palier du deuxième étage, une soudaine bouffée de chaleur lui rappela qu'il avait toujours son manteau d'hiver, son écharpe et ses bottes fourrées. D'un moment à l'autre, par l'une des portes de service donnant des cuisines sur l'escalier, une bonne pouvait sortir pour faire les courses, ou bien M. Rigaud, pour poser dehors ses bouteilles de vin vides, ou bien même éventuellement Mme Lassalle, pour une raison ou pour une autre ; elle se levait de bonne heure, Mme Lassalle, elle était d'ailleurs déjà debout, on sentait l'arôme envahissant de son café dans tout l'escalier ; et Mme Lassalle ouvrirait donc sa porte de service, et il se trouverait en face d'elle sur le palier, lui, Jonathan, grotesquement emmitouflé comme en plein hiver, sous ce soleil éclatant du mois d'août ; ce serait beaucoup trop gênant pour faire semblant de rien, il faudrait qu'il donne une explication, mais que pourrait-il bien trouver ? Il allait devoir inventer un mensonge, mais lequel ? Pour sa tenue présente, il n'existait pas d'explication plausible. On ne pouvait que penser qu'il était fou. Peut-être qu'il était fou.

Il posa sa valise, en retira sa paire de souliers bas et ôta prestement ses gants, son manteau, son écharpe et ses bottes ; il mit les souliers, fourra dans la valise l'écharpe, les gants et les bottes, et prit le manteau sur son bras. Dès lors, il jugea que son allure était justifiable aux yeux de n'importe qui. Au besoin, il pourrait toujours prétendre qu'il portait son linge à la laverie et son manteau chez le teinturier. Nettement soulagé, il reprit sa descente.

Dans la cour, il tomba sur la concierge, en train de rentrer les poubelles vides sur un petit chariot. Aussitôt il se sentit pris en faute et son pas fut hésitant. Il ne pouvait plus battre en retraite vers la pénombre de l'escalier, elle l'avait déjà vu, il fallait continuer d'avancer.

« Bonjour, monsieur Noël, dit-elle tandis qu'il passait près d'elle d'un pas délibérément martial.

— Bonjour, madame Rocard », marmonna-t-il.

Ils ne se parlaient jamais davantage.

Depuis dix ans qu'elle était dans l'immeuble, il ne lui avait jamais dit autre chose que « bonjour, madame » et « bonsoir, madame », et puis « merci, madame » quand elle lui tendait son courrier. Non qu'il eût quelque chose contre elle. Ce n'était pas une personne désagréable. Elle n'était pas différente de la concierge précédente, ni de celle qui avait encore précédé celle-là. Elle était comme toutes les concierges : d'un âge indéfinissable, entre la cinquantaine et soixante-dix ans ; comme toutes les concierges, elle avait le pas traînant, la silhouette massive, le teint blafard, et elle sentait le renfermé. Quand elle n'était pas en train de sortir ou de rentrer les poubelles, de nettoyer les escaliers ou de faire rapidement quelques courses, elle était assise sous l'éclairage au néon de sa petite loge donnant sur le couloir entre rue et cour, laissait sa télévision toujours allumée, faisait de la couture, du repassage ou bien la cuisine, et s'enivrait au gros rouge et au vermouth, comme n'importe quelle autre concierge. Non, il n'avait vraiment rien contre elle. Il avait seulement quelque chose contre les concierges en général, car les concierges étaient des gens qui, par profession, observaient en permanence les autres gens. Et Mme Rocard, tout spécialement, était quelqu'un qui l'observait tout spécialement en permanence, lui, Jona-

than. Il était parfaitement impossible de passer devant Mme Rocard sans qu'elle s'en
aperçût, ne fût-ce que d'un infime coup d'œil
à peine perceptible. Même lorsqu'elle s'était
assoupie sur sa chaise, dans sa loge — ce qui
était surtout le cas dans les premières heures
de l'après-midi et après le repas du soir —,
le discret grincement de la porte d'entrée
suffisait à l'éveiller pour quelques secondes
et à lui faire observer qui passait. Nul être
au monde ne remarquait Jonathan aussi souvent et aussi précisément que le faisait
Mme Rocard. Il n'avait pas d'amis. A la
banque, il faisait en quelque sorte partie des
meubles. Les clients le considéraient comme
un élément du décor, et non comme une
personne. Au supermarché, dans la rue, dans
l'autobus (mais quand prenait-il le bus ?), son
anonymat était préservé par la masse des
autres gens. Il n'y avait en tout et pour tout
que Mme Rocard qui le connaissait et le
reconnaissait quotidiennement et lui accordait
au moins deux fois par jour son attention
effrontée. A cette occasion, elle était en
mesure d'apprendre sur son compte les choses
les plus intimes : quels vêtements il portait ;
combien de fois par semaine il changeait de
chemise ; s'il s'était lavé les cheveux ; ce qu'il
rapportait pour son dîner ; s'il recevait du
courrier, et de qui. Et quoique Jonathan, on

l'a déjà dit, n'eût vraiment rien à reprocher à
Mme Rocard personnellement, et bien qu'il
sût fort bien que ses regards indiscrets ne
tenaient pas à sa curiosité, mais à sa conscience
professionnelle, il n'en sentait pas moins ces
regards peser toujours sur lui comme un
reproche muet, et chaque fois qu'il passait
devant Mme Rocard — même après tant
d'années —, il était brièvement envahi par
une vague brûlante d'indignation : pourquoi
diable s'occupe-t-elle une fois de plus de moi ?
Pourquoi diable suis-je une fois encore exa-
miné par elle ? Pourquoi ne me laisse-t-elle
pas, une bonne fois pour toutes, mon inté-
grité, en ne faisant pas attention à moi ?
Pourquoi les gens sont-ils si importuns ?

Et comme, ce jour-là, compte tenu de ce
qui s'était passé, il était particulièrement sus-
ceptible, et qu'il pensait transporter avec lui,
de la façon la plus visible, toute la misère
de son existence, concrétisée par une valise
et un manteau d'hiver, les regards de
Mme Rocard le touchaient particulièrement
au vif, et sa manière de lui lancer « bonjour,
monsieur Noël » lui parut être un sarcasme,
ni plus ni moins. Et la vague d'indignation
que jusque-là il avait toujours endiguée déborda
tout d'un coup et déferla en une rage avouée,
et il fit ce qu'il n'avait encore jamais fait :
alors qu'il avait déjà dépassé Mme Rocard, il

s'arrêta, lâcha sa valise et y posa son manteau, puis se retourna ; se retourna, farouchement résolu à répondre enfin à l'insistance de ce regard et de ce bonjour en y opposant quelque chose. Il ne savait pas encore, en marchant vers elle, ce qu'il allait faire ou dire. Mais il savait qu'il allait faire ou dire quelque chose. La vague d'indignation qui avait débordé le porta vers elle, et son courage était sans limite.

Elle avait déchargé ses poubelles et s'apprêtait à regagner sa loge, quand il se planta devant elle, à peu près au milieu de la cour. Ils s'immobilisèrent à environ un demi-mètre de distance. Il n'avait jamais vu de si près son visage blafard. La peau de ses joues tombantes lui parut d'une finesse extrême, comme une soie ancienne et cassante, et ses yeux, ses yeux marron, quand on les voyait de près, n'avaient plus rien d'importun ni d'indiscret, ils avaient plutôt une sorte de douceur et de timidité de jeune fille. Mais Jonathan ne se laissa pas troubler par la vue de détails qui correspondaient bien peu à l'image qu'il avait en lui de Mme Rocard. Pour donner à son intervention un aspect plus officiel, il toucha du doigt sa casquette réglementaire et articula, d'une voix assez tranchante :

« Madame, j'ai un mot à vous dire. »

(Pour l'instant, il ne savait toujours pas ce qu'en fait il voulait dire.)

« Oui, monsieur Noël ? » dit Mme Rocard en rejetant la tête en arrière d'un petit mouvement nerveux.

On dirait un oiseau, pensa Jonathan ; un petit oiseau qui a peur. Et il répéta son exorde d'un ton tranchant :

« Madame, j'ai à vous dire ceci... »

Et puis, à son propre étonnement, il entendit l'indignation, qui le portait toujours, prendre, sans qu'il y fût pour rien, la forme d'une phrase :

« Devant ma chambre, il y a un oiseau, madame. »

Puis, plus concrètement :

« Un pigeon, madame. Il est posé devant ma chambre, sur le carrelage. »

Et ce n'est qu'à partir de là qu'il réussit à reprendre le contrôle des paroles qui jaillissaient en bouillonnant de son inconscient et à leur faire emprunter une certaine direction, en ajoutant à titre d'explication :

« Ce pigeon, madame, a déjà sali, avec ses fientes, tout le couloir du sixième étage. »

Mme Rocard se balança à plusieurs reprises d'un pied sur l'autre, rejeta encore un peu plus la tête en arrière et dit :

« D'où vient ce pigeon, monsieur ?

— Je n'en sais rien, dit Jonathan. Sans

doute est-il entré par la fenêtre du couloir.
Cette fenêtre est ouverte. Cette fenêtre devrait
rester toujours fermée. C'est ce qui est dit
dans le règlement de l'immeuble.

— C'est sans doute un des étudiants qui
l'a ouverte, dit Mme Rocard, à cause de la
chaleur.

— C'est bien possible, dit Jonathan. Il
n'empêche qu'elle doit toujours rester fermée.
Surtout en été. Quand il fait un orage, elle
peut battre et se briser. C'est arrivé une fois,
dans l'été 1962. A l'époque, cela a coûté cent
cinquante francs de remplacer la vitre. Depuis,
le règlement de l'immeuble stipule que cette
fenêtre doit toujours rester fermée. »

Il se rendait bien compte que cette façon
de se référer sans cesse au règlement avait
quelque chose de ridicule. Et d'ailleurs cela
ne l'intéressait nullement de savoir comment
le pigeon était entré. Il ne voulait pas parler
plus en détail de ce pigeon, car enfin cet
affreux problème ne concernait que lui. Il
voulait donner libre cours à l'indignation que
lui causaient les regards indiscrets de
Mme Rocard, et voilà tout, et c'était chose
faite depuis ses premières phrases. L'indignation était à présent retombée. Maintenant, il
ne savait plus comment continuer.

« Eh bien, il faut chasser ce pigeon, et
refermer la fenêtre », dit Mme Rocard.

Elle disait cela comme si c'eût été la chose la plus simple du monde, et comme si tout, alors, pouvait rentrer dans l'ordre. Jonathan ne disait rien. Son regard était pris au piège au fond de ces yeux marron, et il avait le sentiment de s'y enfoncer comme dans un marécage doux et marron ; il fut obligé de fermer les yeux une seconde pour échapper à ce risque et se dégager, puis de se racler la gorge pour retrouver sa voix.

« Ce qu'il y a, commença-t-il en se raclant encore la gorge, c'est que c'est déjà taché partout. Rien que des taches vertes. Et aussi des plumes. Il a sali tout le couloir. C'est surtout ça, le problème.

— Naturellement, monsieur, dit Mme Rocard, il faut nettoyer le couloir. Mais d'abord on doit chasser ce pigeon.

— Oui, dit Jonathan. Oui, oui... »

Et il pensait : qu'est-ce qu'elle veut dire ? Qu'est-ce qu'elle veut ? Pourquoi dit-elle qu'*on* doit chasser le pigeon ? Est-ce que par hasard elle veut dire que c'est *moi* qui dois chasser ce pigeon ? Et il aurait voulu ne s'être jamais risqué à aborder Mme Rocard.

« Oui, oui, reprit-il en bredouillant, on... on doit le chasser. Je... je l'aurais chassé depuis longtemps moi-même, mais je n'en ai pas eu le temps. Je suis pressé. Comme vous voyez, j'ai là mon linge, et mon manteau d'hiver. Il faut que je porte le manteau chez le teinturier, et le linge à la laverie, ensuite il faut que j'aille à mon travail. Je suis très pressé, madame, c'est pour cela que je n'ai pas pu chasser le pigeon. Je voulais simplement vous signaler l'incident. Surtout à cause des taches. Le couloir est sali par les taches qu'a faites ce pigeon, c'est surtout cela le problème, et c'est contraire au règlement. Le règlement stipule que le couloir, l'escalier et les toilettes doivent toujours être tenus propres. »

Il ne se rappelait pas avoir jamais tenu, de toute sa vie, un discours aussi abracadabrant. Il lui semblait que les mensonges y sautaient aux yeux, et l'unique vérité qu'ils auraient dû dissimuler (à savoir que jamais, au grand jamais, il ne pourrait chasser ce pigeon, et que c'était au contraire le pigeon qui l'avait depuis longtemps chassé lui-même), cette vérité éclatait au grand jour et de la manière la plus gênante ; et même si Mme Rocard ne l'avait pas perçue à travers ses propos, elle ne pouvait pas ne pas la lire maintenant sur son visage, car il sentait qu'il avait terriblement chaud, que le sang lui montait à la tête et que ses joues étaient brûlantes de honte.

Mais Mme Rocard fit comme si elle n'avait rien remarqué (ou peut-être n'avait-

43

elle vraiment rien remarqué ?), elle dit seulement :

« Je vous remercie de m'avoir prévenue,
monsieur. Je m'en occuperai, à l'occasion. »

Et elle baissa la tête, contourna Jonathan
et, en traînant les pieds, se dirigea vers le
réduit où se trouvaient ses toilettes, à côté de
sa loge, et y disparut.

Jonathan l'avait suivie des yeux. S'il avait
eu encore le moindre espoir que quelqu'un le
délivre du pigeon, cet espoir s'évanouit au
spectacle désolant de Mme Rocard disparais-
sant dans le réduit de ses toilettes.

Elle ne va s'occuper de rien, songea-t-il,
de rien du tout. Pourquoi le ferait-elle, d'ail-
leur ? Elle n'est que concierge, après tout, et
tenue à ce titre de balayer l'escalier et le
couloir, et de nettoyer une fois par semaine
le w.-c. commun, non de chasser un pigeon.
Cet après-midi au plus tard, elle se soûlera au
vermouth et oubliera toute l'affaire, si elle ne
l'a pas déjà oubliée à cet instant...

Jonathan fut ponctuelle-
ment à huit heures quinze devant la banque,
cinq minutes exactement avant que n'arrivent
le sous-directeur, M. Vilman, et Mme Roques,
la caissière en chef. A eux trois, ils ouvrirent
la grande porte : Jonathan la grille articulée
extérieure, Mme Roques la porte extérieure
en verre blindé, M. Vilman la porte intérieure
en verre blindé. Puis, avec leurs clés spéciales,
Jonathan et M. Vilman coupèrent le dispositif
d'alarme ; ensuite, Jonathan et Mme Roques
ouvrirent la porte coupe-feu à deux serrures
qui donnait sur le sous-sol, où Mme Roques
et M. Vilman disparurent alors, afin d'aller
ouvrir la salle des coffres avec leurs clés
complémentaires, tandis que Jonathan, ayant
enfermé son parapluie, sa valise et son manteau d'hiver dans le placard métallique qui se
trouvait à côté des toilettes, prenait place
derrière la porte intérieure en verre blindé et
faisait entrer les uns après les autres les

45

employés qui arrivaient, appuyant pour cela sur deux boutons qui déverrouillaient électriquement, l'une après l'autre, les deux portes en verre blindé du sas d'accès. A huit heures quarante-cinq, le personnel était au complet, chacun s'était installé à son poste, derrière les guichets, à la caisse ou dans les bureaux, et Jonathan sortait de la banque pour prendre sa faction sur les marches de marbre, devant la grande porte. Son service proprement dit commençait.

Ce service, depuis trente ans, consistait purement et simplement, pour Jonathan, le matin de neuf heures à treize heures et l'après-midi de quatorze heures trente à dix-sept heures trente, à rester debout devant la grande porte, ou tout au plus à arpenter d'un pas posé la plus basse des marches de marbre. Vers neuf heures et demie, ainsi qu'entre seize heures trente et dix-sept heures, il y avait une petite diversion, provoquée par l'arrivée ou bien le départ de la limousine de M. Roedel, le directeur. Il s'agissait alors de quitter sa faction sur la marche de marbre, de longer rapidement, sur douze mètres environ, la façade de la banque jusqu'au porche qui donnait accès à la cour intérieure, d'en ouvrir la lourde grille de fer, de porter la main à la lisière de sa casquette en un respectueux salut, et de faire entrer la limousine. Une procédure analogue pouvait aussi se dérouler en début de matinée ou en fin d'après-midi, quand se présentait la camionnette blindée bleue de la Brink's, pour les transports de fonds. Ce véhicule aussi exigeait qu'on ouvrît la grille, ses occupants aussi avaient droit à un salut, mais ce n'était pas le salut respectueux, la main bien tendue portée à la lisière de la casquette, c'était le petit salut plus expéditif, de collègue à collègue, l'index seul venant effleurer la casquette. A part cela, il ne se passait rien. Jonathan restait là debout, regardait fixement devant lui, et attendait. Parfois, il regardait ses pieds ; parfois, il regardait le trottoir ; parfois, il regardait le café, de l'autre côté de la rue. Parfois, sur la plus basse des marches, il faisait sept pas vers la gauche et sept pas vers la droite, ou bien il quittait la marche du bas et se mettait sur celle du milieu, et parfois, quand le soleil tapait trop fort et que la chaleur faisait sourdre la sueur contre le cuir de sa casquette, il gravissait même la troisième marche, qui était à l'ombre du fronton de la grande porte, et, après s'être brièvement découvert pour s'essuyer le front du bas de sa manche, il y restait debout, regardait fixement devant lui, et attendait.

Il avait calculé un jour que, jusqu'à sa retraite, il aurait passé, debout sur ces trois marches de marbre, soixante-quinze mille heures. Il serait alors à coup sûr la personne qui dans tout Paris — et sans doute aussi dans toute la France — serait restée le plus longtemps debout à un seul et même endroit. C'était vraisemblablement déjà le cas, bien qu'il n'eût encore passé que cinquante-cinq mille heures sur les marches de marbre. Car il n'y avait plus que de très rares vigiles à être ainsi, dans la ville, employés à poste fixe. La plupart des banques avaient passé contrat avec des sociétés de gardiennage et se faisaient fournir par elles ces jeunes types qui se plantaient devant leurs portes, jambes écartées et l'air vachard, et qui au bout de quelques mois, ou souvent de quelques semaines seulement, étaient remplacés par d'autres types à l'air tout aussi vachard, et ce, pour de prétendues raisons psychologiques : à ce qu'on disait, l'attention d'un vigile se relâchait s'il était trop longtemps affecté au même endroit, sa perception de ce qui se passait alentour s'émoussait, il devenait paresseux, négligent et donc inapte à sa mission...

Des âneries, tout ça ! Jonathan savait à quoi s'en tenir : l'attention du vigile se relâchait complètement en quelques heures déjà. Ce qui se passait autour de lui, et à plus forte raison ces centaines de personnes qui entraient dans la banque, dès le premier jour il ne les percevait pas consciemment, et d'ailleurs ce n'était nullement nécessaire, car de toute manière on ne pouvait pas distinguer un bandit d'un client. Et même si le vigile en avait été capable et s'était jeté au-devant du bandit, il se serait fait abattre et supprimer bien avant d'avoir même pu déboutonner l'étui de son pistolet, car le bandit possédait sur le vigile l'avantage irrattrapable de la surprise.

Une sorte de sphynx, voilà comment Jonathan — qui, en effet, avait lu un jour quelque chose sur les sphynx dans l'un de ses livres — voyait le vigile : une sorte de sphynx. Son efficacité ne tenait pas à quelque action, mais à sa simple présence physique. C'est elle et elle seule qu'il opposait au bandit potentiel. « Il faudra que tu passes devant moi », dit le sphynx au pilleur de sépultures, « je ne puis pas t'empêcher d'agir, mais il faudra que tu passes devant moi ; et si tu l'oses, alors gare à la vengeance des dieux, et des mânes du pharaon ! » Et le vigile, lui, dit : « Il faudra que tu passes devant moi, je ne puis pas t'empêcher d'agir, mais si tu l'oses, il faudra que tu m'abattes, et alors gare à la vengeance des tribunaux, sous la forme d'une condamnation pour meurtre ! »

Cela dit, Jonathan savait fort bien que le

sphynx disposait de sanctions beaucoup plus efficaces que le vigile. La vengeance des dieux, un vigile ne pouvait en brandir la menace. Et même dans le cas où le bandit se moquait des sanctions, le sphynx ne courait guère de danger. Il était taillé dans le basalte, dans le rocher massif, il était coulé dans le bronze ou solidement scellé. Il survivait sans peine de cinq mille ans à un pillage... tandis que, si l'on tentait de piller une banque, le vigile ne pouvait immanquablement qu'y laisser sa vie au bout de cinq secondes. Et cependant ils se ressemblaient, trouvait Jonathan, le sphynx et le vigile, car leur pouvoir, à l'un comme à l'autre, n'était pas d'ordre instrumental, mais d'ordre symbolique. Et c'est avec la conscience de ce pouvoir symbolique qui faisait toute sa fierté et tout son amour propre, qui lui donnait énergie et endurance, qui le cuirassait mieux que l'attention, que son arme ou bien le verre blindé, que Jonathan Noël se tenait sur les marches de marbre de la banque et y restait en faction depuis bientôt trente ans, sans éprouver ni peur, ni doutes, ni le moindre sentiment d'insatisfaction, et sans prendre l'air vachard, jusqu'à ce jour.

Mais aujourd'hui, tout était différent. Aujourd'hui, rien à faire, Jonathan n'arrivait pas à retrouver son calme de sphynx. Au bout de quelques minutes seulement, il sentit tout le poids de son corps peser douloureusement sur la plante de ses pieds, il reporta ce fardeau d'un pied sur l'autre et, en changeant ainsi plusieurs fois, se mit à perdre un peu l'équilibre et dut exécuter des petits pas de côté pour que son centre de gravité ne s'écartât point du strict fil à plomb sur lequel il l'avait jusqu'à présent toujours impeccablement maintenu. Et puis, tout d'un coup, il sentit des démangeaisons sur le haut de ses cuisses, sur les flancs de sa poitrine et derrière son cou. Au bout d'un moment, le front lui démangea comme s'il était devenu sec et rugueux, comme parfois en hiver, et pourtant il faisait à présent très chaud, et même anormalement chaud pour neuf heures un quart, son front était déjà humide comme il n'aurait dû l'être en fait que vers onze heures trente... La démangeaison gagnait les bras, la poitrine, les jambes, gagnait tous les endroits où il y avait de la peau, et Jonathan aurait voulu se gratter, goulûment et sans retenue aucune, mais c'était tout à fait hors de question, qu'un vigile se gratte en pleine rue ! Aussi il respira bien à fond, bomba le torse, puis courba l'échine, décontracta son dos, leva et rabaissa les épaules et, de la sorte, se frotta de l'intérieur contre ses propres vêtements, afin de se soulager. A vrai dire, ces contorsions et tressaillements insolites ne firent qu'accentuer l'impression de déséquilibre, et bientôt les petits pas de côté ne suffirent plus pour rester droit, et Jonathan se vit contraint de renoncer, contre toute habitude, à sa posture de sentinelle figée avant même que n'apparaisse, vers neuf heures et demie, la limousine de M. Roedel, et de passer déjà au va-et-vient, sept pas vers la gauche, sept pas vers la droite. Il s'efforça alors de river son regard sur l'arête de la deuxième marche de marbre et de l'y faire aller et venir comme une sorte de wagonnet sur un rail bien fixé, afin que cette image, constante et distillée avec monotonie, de l'arête de marbre ramène en lui l'impassibilité de sphynx à laquelle il aspirait, qui lui ferait oublier le poids de son corps, la démangeaison de sa peau et, plus généralement, tout cet étrange tumulte qui régnait dans son corps et dans son esprit. Mais il n'y avait rien à faire. Le wagonnet déraillait sans cesse. Chaque fois qu'il clignait des yeux, son regard lâchait cette satanée arête de pierre et dérapait vers autre chose : un bout de journal sur le trottoir ; un pied dans une chaussette bleue ; un dos de femme ; un panier à provisions avec des pains dedans ; la poignée de la porte extérieure en verre blindé ; la carotte rouge et lumineuse signalant le bureau de tabac du café d'en face ;

une bicyclette, un chapeau de paille, un
visage... Et nulle part il ne parvenait à s'agrip-
per, à se fixer un nouveau point de repère
qui lui permît de s'y retrouver et de se
ressaisir. A peine venait-il de cadrer ce chapeau de paille sur sa droite qu'un autobus
emportait le regard vers le bas de la rue, à
gauche, pour passer le relais, quelques mètres
plus loin, à une voiture de sport blanche qui
faisait remonter le regard vers la droite où,
entre-temps, le chapeau de paille avait disparu : l'œil le cherchait en vain dans la foule
des passants, dans la foule des chapeaux, il
s'accrochait à une rose qui se balançait sur
un tout autre chapeau, il s'en arrachait,
retombait enfin sur l'arête de la marche, ne
pouvait à nouveau s'y poser tranquillement,
s'égarait encore, sans pouvoir tenir en place,
de point en point, de tache en tache, de ligne
en ligne... On aurait dit qu'il y avait dans l'air
cet ondoiement de grosse chaleur qu'on voit
seulement par les après-midi de canicule. Des
voiles transparents frémissaient devant les
choses. Les contours des immeubles, les arêtes
et les rebords des toits se détachaient avec un
éclat cru et, en même temps, ils étaient flous,
comme effrangés. Les bordures des caniveaux
et les joints des dalles du trottoir, que d'habitude on aurait dit tracés à la règle, ondu-
laient en courbes chatoyantes. Et les femmes

aujourd'hui semblaient toutes porter des robes
de couleurs vives, elles passaient comme une
flamme qui court, captaient irrésistiblement
le regard et pourtant ne le laissaient pas se
poser. Plus rien n'avait de contours nets. Rien
ne se laissait plus fixer précisément. Tout
tremblotait.

Ce sont les yeux, pensa Jonathan. Du
jour au lendemain, je suis devenu myope. Il
me faut des lunettes. Enfant, il avait dû à un
certain moment porter des lunettes, pas fortes,
zéro dioptrie soixante-quinze de chaque côté.
C'était très étrange, que cette myopie revînt
le tracasser maintenant, à son âge. En vieillis-
sant, on devenait plutôt presbyte, d'après ce
qu'il avait lu, et si l'on était myope, ça
s'atténuait. Peut-être que ce n'était pas du
tout d'une myopie classique qu'il souffrait,
mais d'une affection à laquelle des lunettes
ne pourraient rien : une cataracte, un glau-
come, un décollement de la rétine, un cancer
de l'œil, une tumeur au cerveau qui compri-
mait le nerf optique...

Il était tellement occupé par cette idée
atroce que des coups de klaxon réitérés ne
parvinrent pas vraiment jusqu'à sa conscience.
Ce n'est qu'à la quatrième ou cinquième fois
— on klaxonnait à présent longuement —
qu'il entendit et réagit et leva la tête : et
effectivement, voilà que la limousine de

M. Roedel était arrêtée devant la grille du porche ! On klaxonnait de nouveau, et l'on faisait même signe de la main, comme si l'on attendait depuis déjà quelques bonnes minutes. Devant la grille du porche ! La limousine de M. Roedel ! Jamais il n'avait raté son approche. D'habitude, il n'avait même pas besoin de regarder, il la sentait venir, il l'entendait au chuintement du moteur ; il aurait pu dormir, il se serait réveillé comme un chien quand approchait la limousine de M. Roedel.

Il ne se hâta pas, il se précipita — dans son empressement, il manqua tomber —, il déverrouilla la grille, la fit coulisser, salua, fit passer la voiture ; il sentit que son cœur battait et que sa main tremblait contre sa casquette.

Quand il eut fermé la grille et qu'il fut revenu devant la grande porte, il était inondé de sueur. « Tu as raté la limousine de M. Roedel », murmura-t-il à part lui d'une voix étranglée de désespoir, et il répéta, comme s'il ne parvenait pas lui-même à le comprendre : « Tu as raté la limousine de M. Roedel... Tu l'as ratée, tu n'as pas fait ce que tu devais, tu as gravement failli à ta mission, tu n'es pas seulement aveugle, tu es sourd, tu es vieux et fini, tu n'es plus capable d'être vigile. »

Il était parvenu jusqu'à la marche la plus

basse du perron de marbre, il la gravit et
tenta de reprendre sa posture de factionnaire.
Il se rendit compte tout de suite qu'il n'y
arrivait pas. Les épaules ne voulaient plus
tenir droites, les bras pendouillaient le long
de la couture du pantalon. Il savait qu'en cet
instant il avait une allure ridicule, et il ne
pouvait rien y faire. Du fond de son désespoir
muet, il regardait le trottoir, la chaussée, le
café d'en face. La vibration de l'air avait
cessé. Les choses étaient de nouveau d'aplomb,
les lignes filaient tout droit, le monde devant
ses yeux était limpide. Il entendait le bruit de
la circulation, le souffle aigu des portes d'autobus, les commandes lancées par les garçons
du café, et les talons hauts des femmes qui
claquaient sur le trottoir. Ni sa vue ni son
ouïe n'étaient amoindries en aucune façon.
Mais la sueur ruisselait à flots de son front. Il
se sentait faible. Il se retourna, monta sur la
deuxième marche, monta sur la troisième et
se mit à l'ombre, juste devant la colonne qui
flanquait la porte extérieure en verre blindé.
Il croisa les mains derrière son dos de telle
sorte qu'elles touchaient la colonne. Puis il se
laissa légèrement aller en arrière et s'appuya
sur ses mains, sur la colonne, pour la première fois de ses trente ans de service. Et
quelques secondes durant, il ferma les yeux.
Tellement il avait honte.

P ENDANT la pause de midi, il alla chercher dans le placard métallique sa valise, son manteau et son parapluie, et il se rendit dans la rue Saint-Placide toute proche, où se trouvait un petit hôtel hébergeant surtout des étudiants et des travailleurs immigrés. Il demanda la chambre la moins chère, on lui en proposa une à cinquante-cinq francs, il la prit sans la voir, paya d'avance et laissa son bagage à la réception. Dans un stand, sur le trottoir, il s'acheta deux petits pains aux raisins et un carton de lait, puis gagna le square Boucicaut, devant les grands magasins du Bon Marché. Il s'assit sur un banc à l'ombre, et mangea.

Deux bancs plus loin, un clochard s'était installé. Il avait une bouteille de vin blanc entre les cuisses, une demi-baguette dans une main et, à côté de lui sur le banc, un sachet en papier avec des sardines fumées. Il tirait

les sardines du sachet l'une après l'autre par
la queue, puis d'un coup de dent il leur
coupait la tête, la crachait au loin et mettait
tout le reste d'un seul coup dans sa bouche.
Là-dessus une bouchée de pain, une bonne
gorgée au goulot, et un soupir de contente-
ment. Jonathan connaissait l'homme. En hiver,
il était toujours assis devant l'entrée des
livreurs du grand magasin, sur les grilles de
la chaufferie ; et, en été, devant les boutiques
de la rue de Sèvres, ou le porche du foyer,
ou à côté du bureau de poste. Il vivait depuis
des dizaines d'années dans ce quartier, depuis
tout aussi longtemps que Jonathan. Et Jonathan se rappelait qu'à l'époque, trente ans
plus tôt, lorsqu'il l'avait vu pour la première
fois, il avait senti une espèce de furieuse
jalousie monter en lui, une jalousie pour la
manière insouciante dont cet homme menait
sa vie. Tandis que Jonathan prenait son
service tous les jours à neuf heures pile, le
clochard ne rappliquait souvent que vers dix
ou onze heures ; tandis que Jonathan devait
se tenir au garde-à-vous, l'autre se vautrait
tout à son aise sur son bout de carton, et en
fumant ; tandis qu'heure après heure, jour
après jour et année après année, Jonathan
montait la garde devant une banque en y
risquant sa vie et qu'il gagnait durement de
quoi vivre en exerçant cette activité, ce type

se contentait de s'en remettre à la pitié et à la charité de ses semblables, qui jetaient de l'argent liquide dans sa casquette. Et jamais il ne paraissait de mauvaise humeur, même pas quand la casquette restait vide ; jamais il ne semblait souffrir, ou avoir peur, ou même seulement s'ennuyer. Il émanait toujours de lui une assurance et une satisfaction révoltantes, l'aura ostentatoire et provocante de la liberté.

Mais voilà qu'un jour, au milieu des années soixante, en automne, comme Jonathan allait à la poste de la rue Dupin, trébuchant presque en y entrant sur une bouteille de vin posée sur le bout de carton, entre un sac en plastique et la casquette qu'il connaissait bien, avec ses quelques pièces de monnaie, et comme pendant un instant il cherchait involontairement des yeux le clochard — non que celui-ci lui manquât en tant que personne, mais parce qu'il manquait le centre de cette nature morte à la bouteille, au carton et au sac —, voilà qu'il l'aperçut de l'autre côté de la chaussée, accroupi entre deux voitures arrêtées, et il vit qu'il faisait là ses besoins : il était à croupetons à côté du caniveau, la culotte baissée jusqu'aux genoux, son derrière était tourné vers Jonathan, le derrière était complètement nu, les gens passaient, tout le monde pouvait le voir, un derrière blanc comme un navet, bigarré de taches bleues et d'escarres rougeâtres, aussi mal en point que le derrière d'un vieillard grabataire — et cet homme n'était pas plus vieux que ne l'était alors Jonathan lui-même, trente ans peut-être, trente-cinq ans tout au plus. Et de ce pauvre derrière maltraité, voilà qu'un jet de brouet brun giclait sur le pavé, avec une violence et une abondance énormes, il se formait une mare, un lac qui déferlait sur les chaussures, et des éclaboussures en tous sens maculaient les chaussettes, les cuisses, le pantalon, la chemise, tout...

Ce spectacle était si misérable, si répugnant, si atroce qu'aujourd'hui encore Jonathan frissonnait rien qu'à se le rappeler. A l'époque, après être resté un moment figé d'effroi, il s'était jeté dans le bureau de poste comme en un refuge, il avait payé sa facture d'électricité, puis il avait acheté des timbres, quoiqu'il n'en eût pas besoin, uniquement pour prolonger sa visite et pour être sûr qu'en sortant de la poste il ne tomberait plus sur le clochard en train de poser culotte. Quand il ressortit enfin, il plissa les yeux, baissa la tête et se força à ne pas regarder de l'autre côté de la chaussée, mais carrément vers la gauche et vers le bout de la rue Dupin, et c'est d'ailleurs par là qu'il partit à grands pas, vers la gauche, bien qu'il n'eût rien à y faire, pour

éviter surtout d'avoir à passer là où se trouvaient la bouteille, le carton et la casquette ;
et il préféra s'imposer un long détour, par la
rue du Cherche-Midi et le boulevard Raspail,
avant de rejoindre la rue de la Planche et de
regagner sa chambre et l'abri sûr qu'elle lui
offrait.

Dès lors, dans l'âme de Jonathan, il n'y
eut plus la moindre place pour un sentiment
de jalousie envers le clochard. Si jusque-là il
avait encore, de temps à autre, senti poindre
en lui un léger doute sur le sens qu'il pouvait
y avoir pour un homme à passer un tiers de
sa vie debout devant les portes d'une banque,
en ouvrant parfois une grille et en saluant la
limousine du directeur, toujours la même
chose, en ayant peu de congés et un maigre
salaire dont le plus clair filait aussitôt en
impôts, loyer et cotisations sociales..., désormais, la réponse à ce doute sur le sens que
tout cela pouvait avoir s'imposait à ses yeux
avec la même lumineuse évidence qu'avait
eue cette image effroyable aperçue dans la
rue Dupin : oui, cela avait un sens. Cela avait
même beaucoup de sens, car cela le préservait
d'avoir à montrer son derrière en public et à
déféquer sur la chaussée. Y avait-il rien de
plus misérable que d'en être réduit à montrer
son derrière en public et à déféquer sur la
chaussée ? Y avait-il rien de plus humiliant

61

que ces culottes baissées, cette posture accrou-
pie, cette nudité laide et contrainte ? Y avait-
il détresse plus honteuse que cette nécessité
mortifiante de faire ses besoins sous les yeux
de tout le monde ? Ses besoins ! A lui seul, le
mot disait bien tout l'inconfort de la chose.
Et comme tous les actes que nous impose une
nécessité inéluctable, ces besoins exigeaient,
pour être du moins tolérables, l'absence totale
de nos semblables... ou en tout cas leur
absence apparente : un bois, lorsqu'on se
trouvait à la campagne ; un buisson, quand
cela vous prenait en plein champ, ou du
moins un sillon, ou le crépuscule du soir ou,
à défaut, un terrain découvert où l'on pût
voir à un kilomètre à la ronde et s'assurer
qu'il n'y avait personne à l'horizon. Et en
ville ? Là où cela grouillait de gens ? Où
jamais il ne faisait vraiment sombre ? Où
même une propriété abandonnée et en ruine
ne mettait pas à l'abri des regards indiscrets ?
En ville, rien ne permettait de se mettre à
l'écart des hommes, sinon un réduit pourvu
d'un bon verrou. Qui n'en possédait point,
qui n'avait pas ce hâvre sûr pour ses besoins,
était le plus misérable et le plus pitoyable des
êtres humains, liberté ou pas. Jonathan aurait
pu vivre avec peu d'argent. Il aurait pu
s'imaginer portant une veste élimée et un
pantalon en loques. A l'extrême limite et en

62

mobilisant toute son imagination romanesque, il lui aurait même semblé pensable de dormir sur un bout de carton et de restreindre l'intimité de son chez-soi à quelque recoin, à une grille de chauffage ou à un palier dans l'escalier de la station de métro. Mais si, dans une grande ville, on n'avait même plus une porte à refermer derrière soi pour déféquer — ne fût-ce que la porte des w.-c. de l'étage —, si l'on était privé de cette liberté-là, de cette liberté fondamentale qui consiste à se retirer à l'écart des autres quand le besoin vous presse, alors, toutes les autres libertés étaient sans valeur. Alors, la vie n'avait plus de sens. Alors, mieux valait être mort.

Lorsque Jonathan eut ainsi compris que l'essence de la liberté humaine consistait en la jouissance d'un w.-c. à l'étage et qu'il jouissait, lui, de cette liberté essentielle, il fut envahi d'un sentiment de profonde satisfaction. Oui, il avait eu bien raison d'organiser sa vie ainsi ! Il menait là une existence intégralement réussie. Elle ne comportait rien, absolument rien qui justifiât le moindre regret, ou la moindre jalousie envers autrui.

Dès ce moment, c'est d'un pied en quelque sorte plus ferme qu'il monta la garde devant la banque. Il se dressait là comme coulé dans le bronze. Cette imperturbable satisfaction et assurance qu'il avait jusque-là cru percevoir dans le caractère du clochard, elle s'était déversée en lui comme un métal en fusion qui, en se refroidissant, lui avait fait une cuirasse intérieure et lui avait donné plus de poids. Désormais, rien ne pouvait plus l'ébranler, aucun doute ne pouvait plus le faire broncher. Il avait trouvé sa sérénité de sphynx. Envers le clochard — lorsqu'il le rencontrait ou qu'il l'apercevait assis quelque part —, il n'éprouvait plus dorénavant que ce sentiment qu'on désigne généralement par le terme de tolérance : un mélange fort tiède de dégoût, de mépris et de pitié. Cet être ne lui causait plus d'émotion. Cet être lui était indifférent.

Il lui avait été indifférent jusqu'à ce jour où Jonathan, assis dans le square Boucicaut, avalait ses petits pains aux raisins en buvant du lait à même le carton. D'habitude, pendant la pause de midi, il rentrait chez lui. Il n'habitait qu'à cinq minutes de là. D'habitude, chez lui, il se préparait quelque chose sur son réchaud électrique, une omelette, des œufs sur le plat avec du jambon, des pâtes avec du fromage râpé, un reste de potage de la veille, et puis de la salade et une tasse de café. Cela faisait une éternité qu'il n'avait pas passé sa pause de midi assis sur un banc du square, à manger des petits pains aux raisins et à boire du lait à même le carton. En fait, il n'aimait pas particulièrement les choses sucrées. Ni le lait. Mais enfin il avait déjà dépensé cinquante-cinq francs, aujourd'hui, pour la chambre d'hôtel ; dans ces conditions, il aurait eu l'impression de jeter l'argent par les fenêtres s'il était allé dans un café et qu'il y avait commandé une omelette et une bière.

Là-bas, sur son banc, le clochard avait fini son repas. Après les sardines et le pain, il avait encore pris du fromage, des poires et des gâteaux secs, il avait avalé une grande gorgée de vin blanc, poussé un soupir de profonde satisfaction, et puis avait roulé sa veste pour s'en faire un oreiller, il y avait logé sa tête et avait étendu de tout son long, sur le banc, son corps paresseux et repu pour faire la sieste. A présent, il dormait. Des moineaux arrivaient en sautillant et picoraient les miettes de pain ; puis, attirés par les moineaux, quelques pigeons s'approchèrent du banc en clopinant et piquèrent leurs becs noirs dans les têtes de sardines. Le clochard n'était nullement dérangé par les oiseaux. Il dormait profondément et paisiblement.

Jonathan le regarda. Et, en le regardant, il fut saisi d'une inquiétude étrange. Cette inquiétude n'était pas alimentée par la jalousie, comme jadis, mais par l'étonnement : comment se faisait-il, se demandait Jonathan, qu'à plus de cinquante ans, cet homme vécût

encore ? Avec son mode de vie complètement
irresponsable, n'aurait-il pas dû depuis longtemps être emporté par le froid, la famine,
la cirrhose du foie..., et en tout cas être
mort ? Au lieu de cela, il mangeait et buvait
du meilleur appétit, dormait du sommeil du
juste et, dans son pantalon rapiécé — qui
naturellement n'était plus depuis longtemps
celui qu'il avait baissé à l'époque rue Dupin,
mais un pantalon de velours côtelé plutôt
chic, presque à la mode, juste un peu réparé
par endroits — et avec sa veste de coton, il
donnait l'impression d'un personnage bien
installé dans l'existence, parfaitement en accord
avec le monde et avec lui-même, et jouissant
de lá vie... Tandis que lui, Jonathan — et son
étonnement augmentait peu à peu jusqu'à la
nervosité et à la confusion mentale —, tandis
que lui qui pourtant, toute sa vie, avait été
quelqu'un de sage et de rangé, frugal, presque
ascétique et propre et toujours ponctuel et
docile, digne de confiance et parfaitement
comme il faut... lui qui avait gagné par lui-
même chaque sou qu'il possédait, et qui avait
toujours tout payé rubis sur l'ongle, facture
d'électricité, loyer, étrennes à la concierge...
et qui n'avait jamais fait de dettes, n'avait
jamais été à la charge de personne, qui n'avait
même pas été malade et n'avait rien coûté à
la Sécurité Sociale... qui jamais n'avait fait le

moindre tort à qui que ce fût, et qui, jamais, jamais, n'avait voulu autre chose dans la vie que s'assurer et se préserver sa modeste petite tranquillité d'esprit... tandis que lui, dans sa cinquante-troisième année, se voyait précipité cul par-dessus tête dans une crise qui bouleversait le projet si ingénieusement élaboré pour toute son existence, qui le désarçonnait et le perturbait et lui faisait ingurgiter des petits pains aux raisins, à force de trouble et de peur. Oui, il avait peur ! Dieu sait qu'il tremblait et qu'il avait peur, rien qu'à regarder ce clochard endormi : il avait tout d'un coup une peur terrible de devenir inévitablement comme cette loque humaine, là-bas, sur le banc. Comme cela pouvait vous arriver vite, de devenir pauvre et de sombrer ! Comme il s'effritait vite, le fondement apparemment bien assis de toute une existence ! « Tu as raté la limousine de M. Roedel », songea-t-il à nouveau en un éclair. « Ce qui ne s'était jamais passé et n'aurait jamais dû se passer, c'est tout de même arrivé aujourd'hui : tu as raté la limousine. Et si aujourd'hui tu rates la limousine, peut-être que demain tu rateras ton service tout entier, ou bien que tu perdras la clé de la grille articulée, et le mois suivant tu es licencié de façon infamante, et tu ne trouves pas de nouveau travail, car qui voudrait d'un employé capable de telles défaillances ? Personne ne peut vivre de l'indemnité de chômage ; ta chambre, tu l'as de toute façon perdue depuis longtemps, elle est habitée par un pigeon, par une famille de pigeons qui salit et dévaste ta chambre ; les notes de l'hôtel atteignent des sommes énormes, tu te soûles pour oublier tes soucis, tu bois de plus en plus, tu bois toutes tes économies, tu deviens définitivement esclave de la bouteille, tu tombes malade, c'est la déchéance, la pouillerie, la décrépitude, on te met à la porte de la dernière et la moins chère des pensions, tu n'as plus un sou, tu n'as devant toi que le néant, tu es à la rue, tu dors et tu habites dans la rue, tu défèques dans la rue, c'est la fin, Jonathan, avant moins d'un an ce sera la fin, tu seras un clochard en haillons couché sur un banc de square comme cette loque, là-bas, qui est ton frère. »

Il avait maintenant la bouche sèche. Il détourna les yeux du spectre terrible qu'était l'homme endormi, et il avala la dernière bouchée de son petit pain aux raisins. Cela dura une éternité avant que cette bouchée ne soit dans l'estomac, elle descendait l'œsophage à la vitesse de l'escargot, parfois elle semblait même s'arrêter en chemin, elle oppressait et faisait mal, comme un clou enfoncé dans la poitrine, et Jonathan croyait que cette répugnante bouchée allait l'étouffer. Mais ensuite la chose repartait, faisait un petit bout de chemin, puis un autre, et enfin elle eut fini sa descente, et la douleur convulsive se dissipa. Jonathan respira un grand coup. A présent, il voulait partir. Il ne voulait pas rester plus longtemps, bien que sa pause de midi ne se terminât que dans une demi-heure. Il en avait assez. Il était dégoûté de cet endroit. Du dos de la main, il balaya les quelques miettes de petit pain qui étaient tombées sur son pantalon en dépit de ses précautions, tira sur les pinces de ses plis de pantalon, se leva et partit, sans jeter un nouveau regard vers le clochard.

Il avait déjà regagné la rue de Sèvres quand il songea qu'il avait laissé son carton de lait vide sur le banc du square, et cela lui fut désagréable, car il détestait que d'autres gens laissent leurs détritus sur les bancs, ou simplement les jettent dans la rue, au lieu de les mettre dans les endroits faits pour les détritus, à savoir dans les corbeilles disposées un peu partout à cet effet. Pour sa part, jamais il n'avait ainsi jeté au petit bonheur des détritus, ni n'en avait laissé sur un banc de square, jamais, même par négligence ou par oubli ; ce genre de choses ne lui arrivait tout simplement pas... Aussi ne voulait-il pas non plus que cela lui arrive aujourd'hui, surtout pas aujourd'hui, en cette journée critique où étaient déjà arrivés tant de malheurs. Il était déjà, de toute façon, sur la mauvaise pente ; il se comportait déjà, de toute façon, comme un énergumène, comme un individu irresponsable, presque comme un asocial... Rater la limousine de M. Roedel ! Manger à midi des petits pains aux raisins dans le square ! Si maintenant il ne faisait pas attention, surtout dans les petites choses, s'il ne résistait pas avec la dernière énergie à des étourderies apparemment accessoires, comme l'oubli de ce carton de lait, il perdrait bientôt pied et partirait à la dérive, et plus rien ne pourrait empêcher qu'il connaisse une fin lamentable.

Il fit donc demi-tour et retourna dans le square. De loin, il vit que le banc où il s'était assis était toujours libre, et en s'approchant il eut le soulagement de constater, à travers les lattes peintes en vert du dossier, que le carton blanc était toujours là. Manifestement, sa négligence n'avait encore été remarquée par personne, il pouvait gommer cette faute impardonnable. Arrivant jusqu'au banc par-derrière, il se pencha très bas par-dessus le dossier, saisit le carton de lait de la main gauche et se redressa en se tournant nettement vers la droite, dans la direction approximative où il savait que se trouvait la plus proche corbeille à papiers... et il sentit alors que cela tirait brusquement et violemment sur son pantalon, vers le bas et en oblique, mais sans qu'il pût rien faire pour que cette traction se relâchât, car elle était intervenue trop brusquement, alors qu'il était déjà en train d'exécuter son mouvement ascendant et giratoire en sens inverse. Et, en même temps, cela fit un vilain bruit, un « crrr ! » très fort, et il sentit passer sur sa cuisse gauche la caresse d'un courant d'air : il n'était pas douteux que l'air extérieur pénétrait là sans rencontrer d'obstacle. Pendant un moment, il fut si atterré qu'il n'osa pas regarder. Et puis ce « crrr ! » — il résonnait encore à ses oreilles — lui semblait avoir fait un bruit énorme, comme si non seulement quelque chose s'était déchiré à son pantalon, mais comme si une déchirure se produisait en lui-même, dans le banc, dans le square tout entier, comme la faille béante d'un séisme, et comme si tous les gens alentour l'avaient nécessairement entendu, ce terrible « crrr ! », et regardaient à présent Jonathan, qui l'avait produit. Mais personne ne regardait. Les vieilles dames continuaient à tricoter, les vieux messieurs à lire leurs journaux, les quelques enfants qui étaient dans l'aire de jeu continuaient leurs descentes sur le toboggan, et le clochard dormait. Jonathan baissa lentement les yeux. La déchirure avait environ douze centimètres de long. Elle allait du bas de la poche gauche, qui lors du mouvement tournant s'était accrochée à une vis qui dépassait du banc, elle descendait le long de la cuisse, mais sans suivre proprement la couture, en plein milieu au contraire de la belle gabardine du pantalon d'uniforme, et puis elle repartait à angle droit sur environ la largeur de deux pouces jusqu'au pli, si bien que cela ne faisait pas juste une fente discrète dans le tissu, mais un accroc qu'il était impossible de ne pas voir, et sur lequel flottait un petit drapeau triangulaire.

Jonathan sentit que son sang recevait une dose d'adrénaline, cette substance stimulante dont il avait lu un jour que les surrénales la sécrètent dans les moments de danger physique et de tension psychique extrêmes, pour mobiliser les ultimes réserves du corps en vue de la fuite, ou d'un combat à la vie, à la mort. De fait, il avait le sentiment d'être blessé. Il aurait dit que ce n'était pas seulement son pantalon, mais sa propre chair qui était ouverte sur douze centimètres et laissait s'écouler son sang, sa vie dont la circulation normale était pourtant si hermétiquement refermée sur elle-même ; et il allait nécessairement mourir de cette blessure s'il ne parvenait pas à la fermer très bientôt. Mais il y avait aussi cette adrénaline qui, alors qu'il pensait perdre tout son sang, lui donnait une vivacité merveilleuse. Son cœur battait puissamment, son courage était grand, ses pensées étaient d'un coup tout à fait claires et visaient un seul but : « Il faut tout de suite faire quelque chose », criait en lui une voix, « il faut immédiatement entreprendre quelque chose pour refermer cet accroc, sinon tu es perdu ! » Et tandis qu'il se demandait ce qu'il pourrait entreprendre, il savait déjà la réponse : si rapide est l'action de l'adrénaline, cette drogue magnifique, et tant il est vrai que la peur donne des ailes à l'intelligence et au dynamisme. Résolument, il empoigna de la main droite le carton de lait qu'il tenait encore de la main gauche, il le froissa en boule, le jeta n'importe où, sur le gazon, sur l'allée sablée, il ne s'en souciait pas. Il appliqua sa main gauche désormais libre sur l'accroc de sa cuisse gauche, et puis il partit à toute allure, tenant sa jambe gauche aussi raide que possible pour éviter que sa main ne dérape, et ramant furieusement du bras droit, se déhanchant fougueusement comme peuvent faire les boiteux, il sortit du square et prit la rue de Sèvres, il n'avait plus qu'une petite demi-heure.

Au rayon « alimentation » du Bon Marché, au coin de la rue du Bac, il y avait une couturière. Il l'avait vue à peine quelques jours plus tôt. Elle était installée tout de suite près de l'entrée, à l'endroit où on laissait les chariots. Elle avait un écriteau accroché à sa machine à coudre et l'on pouvait y lire, il s'en souvenait précisément : *Jeannine Topell — Retouches et réparations — Travail rapide et soigné.* C'était cette femme qui allait l'aider. Il faudrait qu'elle l'aide — si elle n'était pas elle-même en train de faire la pause de midi. Mais elle ne serait pas en train de faire la pause, non, non, ce serait trop de déveine. Il ne pourrait pas avoir autant de déveine en un seul jour. Pas maintenant. Pas quand l'urgence était telle. Quand l'urgence était à son comble, c'est alors qu'on avait de la chance et qu'on trouvait de l'aide. Mme Topell serait à sa place et elle l'aiderait.

Mme Topell *était* à sa place ! Il la vit de l'entrée du rayon « alimentation », assise à sa machine et en train de coudre. Oui, on pouvait compter sur Mme Topell, même pendant la pause de midi elle était à son travail, rapide et soigné. Il courut jusqu'à elle, se planta près de la machine à coudre, ôta la main de sa cuisse, jeta un coup d'œil sur sa montre-bracelet, il était quatorze heures cinq, il se racla la gorge et commença :

« Madame... »

Mme Topell termina le plissé d'une jupe rouge qu'elle avait en chantier, arrêta la

machine et releva le pied-de-biche pour dégager le tissu et couper les fils. Après quoi, elle
leva la tête et regarda Jonathan. Elle portait
une très grande paire de lunettes à grosse
monture nacrée, avec des verres fortement
bombés qui lui faisaient des yeux immenses
et transformaient ses orbites en des lacs
profonds et pleins d'ombre. Ses cheveux
châtain tombaient droit jusque sur ses épaules
et ses lèvres étaient fardées de violet argenté.
Elle pouvait avoir dans les cinquante ans, ou
peut-être cinquante-cinq, son allure était celle
des dames capables de lire votre destinée
dans les boules de verre ou les cartes, l'allure
de ces dames qui ont connu des temps
meilleurs et à qui cette appellation de « dame »
ne convient plus vraiment, mais avec qui l'on
se sent néanmoins tout de suite en confiance.
Ses doigts aussi — elle repoussa un peu ses
lunettes du bout des doigts vers le haut de
son nez, pour mieux considérer Jonathan —,
ses doigts aussi, courts, boudinés et pourtant
— en dépit de tout ce travail manuel —
soignés et vernis de violet argenté, étaient
d'une semi-élégance qui inspirait confiance.

« Vous désirez ? » dit Mme Topell d'une
voix légèrement rugueuse.

Jonathan se présenta de biais, montra
l'accroc de son pantalon et demanda :

« Pouvez-vous réparer ça ? »

Et comme sa question lui parut formulée d'une manière un peu rogue qui pouvait trahir l'excitation due à l'adrénaline, il ajouta pour l'atténuer, sur un ton aussi anodin que possible :

« C'est un accroc, une petite déchirure... un incident stupide. Est-ce qu'on peut y faire quelque chose ? »

Mme Topell déplaça le regard de ses yeux immenses le long de Jonathan, découvrit l'accroc sur la cuisse et se pencha en avant pour l'examiner. A cette occasion, la surface lisse de sa chevelure châtain se sépara en deux, des omoplates à la nuque, découvrant un cou blanc, court et grassouillet ; et en même temps il montait d'elle un parfum si lourd et si entêtant que Jonathan fut involontairement contraint de rejeter la tête en arrière et de déplacer d'un bond son regard, qui quitta les abords de cette nuque pour les lointains du supermarché ; et, l'espace d'un moment, il eut sous les yeux la totalité des lieux avec tous les rayonnages, les bacs réfrigérés, les présentoirs de fromages et de charcuterie, les tables d'offres spéciales, les pyramides de bouteilles et les montagnes de légumes, avec les clients zigzaguant au milieu de tout cela en poussant leurs chariots et en traînant derrière eux de petits enfants, avec les vendeurs et vendeuses, les magasiniers, les caissières..., une foule de gens, grouillante et bruyante, au bord de laquelle, livré à tous les regards, lui, Jonathan, était debout avec son pantalon en lambeaux... Et l'idée lui traversa le cerveau en un éclair que M. Vilman, ou Mme Roques, voire M. Roedel, pourraient fort bien se trouver là dans la foule et l'observer, lui, Jonathan, en train de se faire examiner en public une partie critique de son individu par une dame aux cheveux châtain qui avait connu des temps meilleurs. Et il commença de se sentir un peu mal, d'autant qu'à présent l'un des doigts boudinés de Mme Topell effleurait la peau de sa cuisse, ouvrant et refermant le petit volet de tissu déchiré...

Mais voici que cette dame émergeait à nouveau de ces profondeurs, qu'elle se carrait en arrière sur sa chaise et que l'effluve direct de son parfum s'en trouvait interrompu, si bien que Jonathan put baisser à nouveau la tête et ramener son regard, depuis les espaces vertigineux du magasin, dans la région rassurante des grands verres de lunettes bombés de Mme Topell.

« Alors ? demanda-t-il, et il répéta : Alors ? avec une sorte d'impatience angoissée, comme un patient debout devant une femme médecin dont il aurait redouté le diagnostic accablant.

— Pas de problème, dit Mme Topell. Il

faut seulement mettre une pièce en dessous. Et il y aura une petite couture qui se verra. Pas moyen de faire autrement.

— Mais ça n'a pas d'importance, dit Jonathan ; une petite couture, ça n'a aucune importance, qui est-ce qui irait regarder à un endroit pareil ? »

Et il jeta un coup d'œil sur sa montre, il était quatorze heures quatorze. Il reprit :

« Vous pouvez donc arranger ça ? Vous pouvez m'aider, madame ?

— Oui, naturellement, dit Mme Topell en remontant sur son nez ses lunettes qui avaient un peu glissé pendant l'examen de l'accroc.

— Oh, je vous remercie, madame, dit Jonathan ; je vous remercie beaucoup. Vous me tirez d'un grand embarras. Mais je voudrais encore vous demander une petite faveur : pourriez-vous... auriez-vous l'extrême amabilité — il faut vous dire que je suis pressé, je n'ai plus que... (et il regarda de nouveau sa montre)... je n'ai plus que dix minutes devant moi. Pourriez-vous faire cela tout de suite ? Je veux dire là, immédiatement ? »

Il est des questions qui impliquent une réponse négative, du simple fait qu'on les pose. Et il est des demandes dont la parfaite inutilité éclate au grand jour, lorsqu'on les formule en regardant quelqu'un d'autre dans les yeux. Jonathan regardait les yeux immenses et bordés d'ombre de Mme Topell, et il sut aussitôt que tout cela n'avait pas de sens, que c'était sans espoir et sans issue. Il le savait déjà en finissant de bredouiller sa question, il l'avait senti physiquement, à la baisse du taux d'adrénaline dans son sang au moment où il avait regardé sa montre : dix minutes ! Il avait l'impression de baisser lui aussi, de sombrer comme quelqu'un qui se trouve debout sur un bloc de glace molle qui ne va pas tarder à fondre en eau. Dix minutes ! Comment voulait-il qu'en dix minutes il y eût quelqu'un qui pût repriser cet affreux accroc ? Jamais cela ne se pourrait. Jamais de la vie. Car enfin, on ne pouvait tout de même pas réparer l'accroc sur la cuisse elle-même. Il fallait mettre une pièce en dessous, et cela signifiait qu'il fallait quitter le pantalon. Mais, pendant ce temps, où trouver un autre pantalon, en plein milieu du rayon « alimentation » du Bon Marché ? Retirer son pantalon et rester là debout en caleçon... ? Cela n'avait pas de sens. Pas le moindre sens.

« Tout de suite ? » demanda Mme Topell.

Et bien qu'il sût que tout cela n'avait pas de sens, et bien qu'il eût sombré dans un défaitisme sans fond, Jonathan confirma d'un signe de tête.

Mme Topell sourit :

« Regardez, monsieur : tout ce que vous voyez là (et elle montra une tringle à vêtements de deux mètres de long, toute encombrée de robes, de vestes, de pantalons et de corsages), tout cela, je dois le faire tout de suite. Je travaille dix heures par jour.

— Oui, naturellement, dit Jonathan ; je comprends parfaitement, madame, c'était tout simplement une question stupide. Combien de temps pensez-vous que cela prendra, pour que mon accroc soit réparé ? »

Mme Topell s'occupait de nouveau de sa machine ; elle remit en place le tissu de la jupe rouge et rabaissa le pied-de-biche :

« Si vous m'apportez le pantalon lundi prochain, il sera fait dans trois semaines.

— Dans trois semaines ? répéta Jonathan abasourdi.

— Oui, dit Mme Topell, dans trois semaines. Cela ne peut pas aller plus vite. »

Et elle remit la machine en marche, l'aiguille piqua en ronronnant, et en même temps Jonathan eut l'impression qu'il n'était plus du tout là. Certes, il voyait encore, à portée de son bras, Mme Topell assise devant la console de sa machine à coudre, il voyait sa tête châtain avec ses lunettes nacrées, il voyait ses doigts grassouillets qui s'activaient agilement, et l'aiguille bourdonnante piquer l'ourlet de la jupe rouge... et il voyait encore vaguement, à l'arrière-plan, l'agitation du supermarché... mais soudain il ne se voyait plus lui-même, c'est-à-dire qu'il ne se voyait plus comme faisant partie du monde qui l'entourait ; il eut, quelques secondes durant, l'impression d'être placé très loin à l'extérieur et de regarder ce monde par le petit bout de la lorgnette. Et de nouveau, comme le matin, il fut pris de vertige et perdit un peu l'équilibre. Il fit un pas de côté, se détourna et gagna la sortie. Les mouvements de la marche le remirent dans le monde, l'effet de lorgnette disparut. Mais, intérieurement, son équilibre était toujours précaire. Au rayon « papeterie », il acheta un rouleau de ruban adhésif. Il en colla sur la déchirure de son pantalon de telle sorte que l'accroc triangulaire ne puisse plus béer à chaque pas. Puis il regagna son travail.

IL passa tout l'après-midi dans un état de détresse et de rage. Il se tenait devant la banque, sur la marche la plus haute, tout près de la colonne, mais il ne s'y appuyait pas, car il ne voulait pas céder à sa faiblesse. D'ailleurs il ne pouvait pas, car pour s'appuyer discrètement il eût fallu qu'il croisât les mains derrière son dos et ce n'était pas possible, car il fallait bien que sa main gauche restât pendante afin de dissimuler le collage sur sa cuisse. Au lieu de cela, pour rester ferme sur ses jambes, il fut obligé de les écarter de cette façon odieuse qu'avaient ces jeunes imbéciles, et il constata qu'alors la colonne vertébrale se cambrait, que le cou, d'habitude dégagé et bien droit, rentrait dans les épaules, suivi par la tête et la casquette, et que cela donnait ainsi automatiquement ce regard soupçonneux et méchant qui filtrait sous la visière, et cet air vachard qu'il méprisait tellement chez les autres vigiles. Il se sentit comme infirme, comme la caricature d'un vigile, comme la parodie de lui-même. Il se méprisa. Il se détesta, pendant ces heures. Il éprouvait pour lui-même tant de haine rageuse qu'il aurait voulu n'être plus dans sa propre peau, il aurait même voulu changer littéralement de peau, car la sienne le démangeait à présent sur tout le corps, et il ne pouvait plus se frotter contre ses vête-ments, car sa peau transpirait par tous ses pores et ses vêtements y collaient comme une seconde peau. Et là où ils ne collaient pas, où il restait encore un petit peu d'air entre vêtements et peau, le long des jambes, des avant-bras, dans le sillon au-dessus du ster-num, et surtout dans ce sillon-là, où cela le démangeait de manière vraiment insuppor-table, parce que la sueur y roulait à grosses gouttes qui chatouillaient..., il ne *voulait* pré-cisément pas se gratter, non, il ne voulait pas s'accorder cette petite chance de soulagement, car, loin de modifier l'état d'immense détresse où il se trouvait, cela n'aurait fait que le souligner de façon encore plus nette et plus ridicule. Il *voulait* souffrir, à présent. Plus il souffrirait, mieux cela vaudrait. La souffrance lui convenait tout à fait, elle justifiait et attisait sa haine et sa rage ; et la rage et la haine attisaient en retour la souffrance, car elles lui faisaient de plus en plus bouillir le sang et faisaient sourdre des pores de sa peau d'incessantes vagues de sueur. Il avait le visage ruisselant, l'eau gouttait de son menton et des cheveux de sa nuque, et le bord de sa casquette entamait son front congestionné. Mais pour rien au monde il n'aurait ôté sa casquette, même pour un bref moment. Il fallait qu'elle demeurât vissée sur sa tête comme le couvercle d'une cocotte-minute et qu'elle encerclât ses tempes à la manière d'un anneau d'acier, sa tête dût-elle en éclater. Il ne voulait rien faire pour atténuer sa détresse. Il resta là complètement immobile, pendant des heures. Il nota seulement que sa colonne vertébrale se cambrait de plus en plus, que ses épaules, son cou et sa tête s'affaissaient toujours plus bas, que son corps adoptait une posture de plus en plus tassée, pataude.

Et pour finir — sans qu'il pût ni ne voulût rien y faire — la haine de soi qui s'était ainsi accumulée déborda et jaillit hors de lui, jaillit par ces yeux qui avaient sous la visière un regard de plus en plus fixement méchant et sinistre, et se déversa sur le monde extérieur sous forme d'une haine tout à fait ordinaire. Tout ce qui tombait dans son champ de vision, Jonathan le revêtait de l'affreuse patine de sa haine ; on peut même dire que, par ses yeux, ce n'était plus du tout une image réelle du monde qui pénétrait en lui, mais que ses yeux, comme si le sens des rayons lumineux s'était inversé, ne servaient plus que de portes donnant sur l'extérieur, crachant sur le monde les caricatures grinçantes nées en lui : ces garçons de café, par exemple, à la terrasse du café d'en face, ces jeunes garçons stupides et bons à rien qui vaquaient mollement entre tables et chaises, effrontés, bavardant entre eux et ricanants et grimaçants et barrant la route aux passants et sifflant les filles, ces petits péteux qui ne faisaient rien que répercuter vers le comptoir, par la porte ouverte, la commande qu'on leur avait lancée : « Un express ! Un demi ! Un soda-citron ! », pour ensuite consentir à rentrer enfin, pour ressortir en feignant l'empressement et en jonglant avec la commande qu'ils servaient avec de fausses acrobaties de garçons de café : la tasse atterrissait sur la table au terme d'une trajectoire en spirale, la bouteille de coca-cola se trouvait coincée entre leurs cuisses et ouverte d'un coup sec, le ticket de caisse tenu d'abord entre les lèvres était craché dans une main qui le glissait ensuite sous le cendrier, tandis que déjà l'autre main encaissait à la table voisine et ramassait des tas d'argent, des prix astronomiques : cinq francs pour un express, onze francs pour un demi, avec quinze pour cent en sus pour leur service de singes, sans parler du pourboire supplémentaire ; car figurez-vous qu'ils en attendaient un, ces messieurs les bons à rien, avec leurs têtes à claques, un pourboire supplémentaire ! Sinon ils ne desserraient même pas les dents pour dire merci, sans même parler de dire au revoir ; sans pourboire supplémentaire, le client n'avait plus droit à un regard et, en quittant les lieux, ne voyait que dos dédaigneux et culs pleins de morgue, surmontés de ces porte-monnaie noirs et rebondis que les garçons arboraient à la ceinture parce qu'ils trouvaient ça chic et décontracté de faire ainsi étalage de leurs escarcelles, ces pauvres crétins, comme la vénus hottentote de son postérieur difforme... Ah, Jonathan aurait été capable de les poignarder du regard, ces imbéciles à l'air blasé dans leurs chemises de garçons de café aérées, fraîches et à manches courtes ! Il aurait voulu traverser en courant jusqu'à l'ombre de leur toile et les en tirer par les oreilles, et les gifler en pleine rue, pif, paf, aller et retour, à toute volée, et leur botter le derrière...

Mais pas seulement à eux ! Non, pas seulement à ces morveux de garçons, car les clients aussi méritaient qu'on leur botte le derrière, cette bande de touristes abrutis, vautrés là en corsages d'été, chapeaux de paille et lunettes de soleil, à siroter des

rafraîchissements à des prix exorbitants, pendant que d'autres étaient à la tâche, debout,
à la sueur de leur front. Et les automobilistes,
pareil ! Ces débiles mentaux dans leurs
bagnoles puantes, en train de polluer l'air et
de vous casser la tête, parce que d'un bout
de la journée à l'autre ils n'avaient rien de
mieux à faire que de passer et repasser à
fond de train dans la rue de Sèvres. Ils
trouvent que ça ne pue pas suffisamment ?
Qu'il n'y a pas assez de boucan dans cette
rue, dans toute la ville ? Cela ne suffit pas,
cette chaleur brûlante qui tombe du ciel ? Est-
ce qu'il faut encore que vous aspiriez dans
vos moteurs le peu d'air respirable qui reste,
pour le brûler et le renvoyer ensuite dans le
nez des honnêtes citoyens, additionné de
poison, de suie et de fumée brûlante ? Bande
de salauds ! Bande d'assassins ! Il faudrait
vous exterminer. Parfaitement ! Vous fouetter
et vous exterminer. Vous fusiller. Un par un
et tous ensemble. Oh ! Ce n'était pas l'envie
qui lui manquait de dégainer et de tirer
n'importe où, en plein dans le café, en plein
dans les vitres, que ça dégringole à grand
fracas, en plein dans ce magma de voitures,
ou tout simplement en plein dans l'un des
gigantesques immeubles d'en face, de ces
grands immeubles laids et menaçants, ou bien
de tirer en l'air, vers le haut, dans le ciel, oui,

dans le ciel brûlant, dans ce ciel horriblement pesant, brumeux, gris-bleu comme un pigeon, afin qu'il éclate, afin que cette capsule de plomb se déchire et s'effondre sous ce coup de feu, et s'écroule, écrasant tout, enterrant tout sous elle, tout, tout cet ignoble monde importun, bruyant et puant : la haine de Jonathan Noël était, cet après-midi-là, si universelle et si titanesque qu'il aurait voulu mettre le monde à feu et à sang, à cause d'un accroc à son pantalon !...

Mais il n'en fit rien ; Dieu merci, il ne fit rien. Il ne tira pas vers le ciel, ni vers le café d'en face, ni sur les autos qui passaient. Il resta debout, à suer sans bouger. Car la même force qui faisait sourdre en lui cette haine fantastique et la projetait sur le monde à travers ses regards le paralysait si complètement qu'il ne pouvait bouger bras ni jambe, ni encore moins porter la main à son arme ou plier le doigt sur la détente ; il n'était même plus capable de dodeliner de la tête pour faire tomber du bout de son nez une petite goutte de sueur qui le gênait. Cette force le pétrifiait. Elle le métamorphosa effectivement, pendant ces heures, en une statue de sphynx, menaçante et impuissante. Elle avait quelque chose, cette force, de la tension électrique qui aimante un noyau de fer doux et le maintient en l'air, ou de la forte pression qui s'exerce dans la voûte d'un édifice et y retient chaque pierre à un emplacement tout à fait précis. Elle était du mode conditionnel. Tout son potentiel résidait dans le « je ferais, je pourrais, j'aurais envie », et Jonathan, proférant en pensée les plus épouvantables menaces et malédictions conditionnelles, savait fort bien dans le même instant que jamais il ne les mettrait à exécution. Il n'était pas homme à cela. Il n'était pas un de ces convulsionnaires prêts à commettre un crime par détresse psychique, par désarroi intellectuel ou par haine spontanée ; non parce qu'un tel crime lui aurait paru moralement répréhensible, mais tout simplement parce qu'il était absolument incapable, que ce fût par les actes ou par les mots, de *s'exprimer*. Il n'était pas fait pour agir, mais pour subir.

Vers cinq heures de l'après-midi, il se trouvait dans un tel état de détresse qu'il crut que cette place, devant la colonne, sur la troisième marche de la banque, il ne la quitterait plus jamais et qu'il y mourrait. Il se sentait plus vieux d'au moins vingt ans, et plus petit de vingt centimètres, bombardé qu'il était depuis des heures par l'ardeur extérieure du soleil et l'ardeur intérieure de sa rage qui le liquéfiaient ou le ramollissaient, oui, c'était plutôt une impression de ramollissement qu'il avait, car il ne sentait déjà plus

du tout l'humidité de la sueur ; il était ramolli
et érodé, chauffé à blanc et écaillé comme un
sphynx de pierre au bout de cinq mille ans ;
et avant longtemps il serait totalement des-
séché et calciné et ratatiné et émietté, il
tomberait en poussière ou en cendre, à cet
endroit où il se tenait encore à grand-peine
sur ses jambes, et n'y serait plus qu'un
minuscule tas d'ordure, jusqu'à ce qu'enfin
un coup de vent violent l'emporte, ou que la
femme de ménage le balaye, ou que la pluie
l'entraîne. Oui, c'est ainsi qu'il allait finir :
non sous les traits d'un respectable vieux
monsieur vivant de sa retraite, avec un lit à
lui entre quatre murs à lui, mais là, devant la
porte de la banque, sous la forme d'un petit
tas d'ordure ! Et il souhaitait en être déjà là,
souhaitait que la déchéance s'accélère et que
la fin arrive. Il souhaitait perdre conscience,
sentir ses genoux se dérober, et s'effondrer.
Il cherchait de toutes ses forces à perdre
conscience et à s'effondrer. Enfant, il était
capable de choses semblables. Capable de
pleurer à volonté ; capable de retenir sa
respiration assez longtemps pour perdre
conscience, ou pour que son cœur cessât un
instant de battre. A présent, il n'était plus
capable de rien du tout. Il n'était plus du tout
maître de lui. Il n'était littéralement plus
capable de plier les genoux pour s'affaisser.

Il n'était plus capable que de rester planté là et d'encaisser ce qui lui arrivait.

Il entendit alors le chuintement discret de la limousine de M. Roedel. Non pas un coup de klaxon, mais juste ce discret chuin-tement, ce pépiement qui se faisait entendre quand la voiture, venant tout juste de démar-rer, s'avançait du fond de la cour vers le porche. Et tandis que ce bruit infime frappait son oreille, y pénétrait, et que ce chuintement parcourait tous les nerfs de son corps comme un électrochoc, Jonathan sentit craquer ses articulations et s'étirer sa colonne vertébrale. Il sentit que, sans qu'il y fût pour rien, sa jambe droite abandonnait l'écart et se rame-nait contre la gauche, le pied gauche pivotait sur son talon, le genou droit pliait pour faire un pas, puis le genou gauche, puis de nouveau le droit..., et qu'il mettait un pied devant l'autre, qu'il marchait pour de bon, qu'il courait même, qu'il dévalait les trois marches, longeait la façade d'une démarche élastique jusqu'au porche, ouvrait la grille, rectifiait la position, portait énergiquement la main droite à la visière de sa casquette et faisait sortir la limousine. Ce furent autant de gestes d'auto-mate, sans aucune volonté propre, et sa conscience n'y eut part que dans la mesure où elle enregistra exactement déplacements et manipulations. Jonathan n'apporta dans cette affaire qu'une seule contribution personnelle, en décochant à la limousine qui filait en silence un regard noir et quantité de malédictions muettes.

Mais ensuite, lorsqu'il eut repris sa faction, le feu de cette rage s'éteignit à son tour, cette seule impulsion propre qui fût encore en lui. Gravissant mécaniquement les trois marches, il sentit s'éteindre en lui le dernier reste de haine et, une fois en haut, ses yeux n'exprimèrent plus rien de venimeux ni d'écumant, il jeta désormais sur la rue un regard qui avait quelque chose de défait. Il lui sembla que ces yeux n'étaient plus du tout les siens, mais qu'il était lui-même logé en arrière de ses yeux et regardait à travers eux comme par des fenêtres rondes et mortes ; bien plus, il lui semblait que tout ce corps autour de lui n'était plus le sien, mais que lui, Jonathan — ou ce qui restait de lui —, n'était plus qu'un minuscule gnome recroquevillé dans la gigantesque bâtisse d'un corps étranger, qu'un nain désemparé, captif à l'intérieur d'une machinerie humaine beaucoup trop vaste, beaucoup trop complexe, qu'il n'était plus capable de maîtriser et de commander à sa guise, et qui n'était plus commandée, tout au plus, que par elle-même ou par quelque puissance autre. A l'instant, elle s'immobilisa devant la colonne — non plus avec la sérénité du sphynx, mais comme une marionnette posée ou raccrochée là —, et elle y resta pendant les dix minutes que durait encore son service, jusqu'à ce que M. Vilman, à dix-sept heures précises, apparût un instant à la porte extérieure en verre blindé et lançât : « Nous fermons ! » Alors, cette machine humaine, cette marionnette répondant au nom de Jonathan Noël se mit docilement en marche et rentra dans la banque, se posta devant le pupitre de verrouillage électrique des portes, le brancha et appuya alternativement sur les deux boutons commandant les deux portes en verre blindé du sas d'entrée, pour faire sortir les employés les uns après les autres ; puis, avec Mme Roques, elle ferma la porte coupe-feu menant à la salle des coffres, laquelle avait été préalablement fermée elle-même par Mme Roques et M. Vilman ; puis, avec M. Vilman, elle mit en route le dispositif d'alarme, débrancha le verrouillage électrique des portes, quitta la banque en compagnie de Mme Roques et de M. Vilman et, lorsque celui-ci eut fermé la porte blindée intérieure et celle-là l'extérieure, elle mit en place comme il convenait la grille articulée. Sur quoi la marionnette adressa à Mme Roques et à M. Vilman une discrète inclinaison de son corps de bois, puis ouvrit la bouche et souhaita aux deux le bonsoir et un agréable week-end, reçut à son tour leurs souhaits de bon week-end et, de Mme Roques, un « A lundi ! », puis elle attendit avec déférence que les deux se fussent éloignés de quelques pas, et se glissa dans le flot des passants pour se laisser emporter dans l'autre direction.

La marche apaise. La marche recèle une énergie bénéfique. Cette façon de poser régulièrement un pied devant l'autre tout en ramant au même rythme avec ses bras, la fréquence accrue de la respiration, la légère stimulation du pouls, les activités oculaire et auriculaire indispensables pour déterminer sa direction et préserver son équilibre, la sensation de l'air qui vous frôle l'épiderme : autant de phénomènes qui, d'une manière tout à fait irrésistible, rameutent et rattachent le corps à l'esprit, et font que l'âme, si étiolée et estropiée qu'elle soit, prend de l'ampleur et grandit.

C'est bien ce qui arriva à ce Jonathan dédoublé, gnome logé dans le corps d'une poupée trop grande. Pas après pas, il grandit et reprit les dimensions de son corps, il le remplit de l'intérieur, il s'en rendit progressivement maître et finit par coïncider avec lui.

Cela se passa à peu près au coin de la rue du Bac. Et il traversa la rue du Bac (alors que la marionnette Jonathan, à cet endroit, aurait automatiquement pris à droite, suivant l'itinéraire habituel qui menait à la rue de la Planche), laissa sur sa gauche la rue Saint-Placide où se trouvait son hôtel et continua tout droit jusqu'à la rue de l'Abbé-Grégoire, qu'il prit jusqu'à la rue de Vaugirard, pour gagner ensuite le jardin du Luxembourg. Il y pénétra et en fit trois fois le tour par l'allée la plus longue et la plus loin du centre, longeant comme les joggers la grille sous les arbres ; puis il piqua au sud et rejoignit le boulevard du Montparnasse, puis le cimetière du même nom, dont il fit le tour une fois, deux fois, continuant ensuite vers l'ouest en direction du quinzième arrondissement, qu'il traversa tout entier jusqu'à la Seine, pour remonter alors le quai vers le nord-est et se retrouver dans le septième, puis dans le sixième arrondissement et, continuant toujours — ces soirées d'été n'en finissent pas —, arriver de nouveau au Luxembourg ; au moment où il y parvenait, le jardin fermait tout juste. Il s'arrêta devant la grande grille, à gauche du Sénat. Il pouvait être neuf heures environ, mais il faisait encore presque grand jour. L'imminence de la nuit ne se devinait qu'à la nuance délicatement dorée que pre-

nait la lumière, et aux franges mauves des
ombres. La circulation, dans la rue de Vaugirard, était à présent plus réduite et presque
sporadique. Les masses humaines s'étaient
égaillées. Les petits groupes qui sortaient
encore du jardin ou se formaient au coin des
rues avaient vite fait de se disperser et de
disparaître par bribes individuelles dans toutes
les petites rues autour de l'Odéon et de l'église
Saint-Sulpice. On allait prendre l'apéritif, on
allait au restaurant, on rentrait chez soi. L'air
était moelleux et sentait un peu les fleurs. Le
silence s'était fait. Paris mangeait.

Tout d'un coup, il s'aperçut à quel point
il était fatigué. Il avait les jambes, le dos et
les épaules endoloris d'avoir marché pendant
des heures, et les pieds lui brûlaient dans ses
chaussures. Et soudain il avait faim, tellement
faim qu'il avait des crampes à l'estomac. Il
avait envie d'un potage, d'une salade avec du
pain blanc bien frais, et d'un morceau de
viande. Il connaissait un restaurant tout près,
dans la rue des Canettes, où l'on avait tout
cela au menu à quarante-sept francs cinquante, service compris. Mais il ne pouvait
tout de même pas y aller dans l'état où il
était, tout en sueur et sentant mauvais, et
avec un pantalon déchiré.

Il prit la direction de son hôtel. Sur son

chemin, rue d'Assas, il y avait une épicerie tenue par des Tunisiens. Elle était encore ouverte. Il s'acheta une boîte de sardines à l'huile, un petit fromage de chèvre, une poire, une bouteille de vin rouge et un pain arabe.

La chambre de l'hôtel était encore plus petite que la chambre de la rue de la Planche : à peine plus large, dans un sens, que la porte par laquelle on y entrait, et longue au plus de trois mètres dans l'autre. A vrai dire, les murs n'étaient pas droits, ils allaient en s'écartant à partir de la porte, jusqu'à être distants d'environ deux mètres, ensuite de quoi ils se resserraient brusquement et se rejoignaient pour former au fond une sorte d'abside à trois pans. Le plan de la chambre était donc celui d'un cercueil, et elle n'était pas beaucoup plus spacieuse qu'un cercueil. Sur un des côtés, il y avait le lit, sur l'autre était fixé le lavabo avec, en dessous, un bidet mobile ; dans l'abside, il y avait une chaise. A droite, au-dessus du lavabo, au ras du plafond, on avait découpé une fenêtre, ou plutôt une petite trappe vitrée qui donnait sur un puits à poussière et qu'on pouvait ouvrir

et fermer à l'aide de deux cordons. Il pénétrait par cette trappe un faible courant d'air
tiède et moite, qui apportait dans le cercueil
quelques bruits très assourdis provenant du
monde extérieur : tintements de vaisselle,
bruits de chasse d'eau, bribes de mots espagnols et portugais, quelques rares éclats de
rire, le pleurnichement d'un enfant et parfois,
de très loin, le klaxon d'une voiture.

Jonathan s'était assis sur le bord du lit,
en caleçon et tricot de corps, et il mangeait.
En guise de table, il avait approché la chaise,
il y avait posé sa valise en carton, et étalé
par-dessus le sac où il avait rapporté ses
achats. Il coupait en deux les sardines avec
son couteau de poche, en piquait la moitié et
la plaquait sur une bouchée de pain, qu'il se
fourrait dans la bouche. Une fois mâchée, la
chair friable et saturée d'huile formait avec le
pain fade et non levé une masse au goût
délicieux. Il manque peut-être quelques gouttes
de citron, songea-t-il, mais c'était déjà là une
gourmandise frivole, car en buvant à la
bouteille, après chaque bouchée, une petite
gorgée de vin rouge qu'il faisait rouler sur sa
langue et entre ses dents, il mêlait l'arrière-
goût métallique du poisson au parfum aigrelet
et tenace du vin, et le résultat était si convain-
cant que Jonathan fut certain de n'avoir
jamais de sa vie mieux dîné qu'en cet instant.

La boîte contenait quatre sardines, cela fit huit bouchées posément mâchées avec du pain, et huit gorgées de vin pour les faire glisser. Il mangea très lentement. Il avait lu un jour dans une revue que manger précipitamment, surtout quand on avait très faim, était très mauvais pour la digestion et pouvait même entraîner des nausées et des vomissements. S'il mangea lentement, c'est aussi parce qu'il pensait que c'était son dernier repas.

Quand il eut fini les sardines et saucé avec du pain l'huile qui restait dans la boîte, il mangea le fromage de chèvre et la poire. La poire était si juteuse qu'elle faillit lui glisser des doigts pendant qu'il la pelait, et le fromage de chèvre était si bien égoutté et si compact qu'il collait au couteau, et il avait soudain dans la bouche un goût tellement amer et sec que les gencives se rétractaient avec une sorte d'effroi et que la salive manquait, l'espace d'un instant. Mais il suffisait alors d'un peu de poire, d'un morceau de poire fondante et sucrée, pour que tout glisse à nouveau et se détache du palais et des dents, et fonde sur la langue et descende... Et encore un morceau de fromage, léger effroi, et puis à nouveau la poire qui arrangeait tout, et puis du fromage, et puis de la poire... C'était si délicieux qu'il racla au couteau tout ce qu'il restait de fromage sur le papier, et qu'il rongea tout ce qui entourait les pépins de la poire et qu'il avait d'abord détaché.

Il resta assis là, pensif, un moment encore, se passant la langue sur les dents, avant de finir le pain et de boire le reste du vin. Puis il rassembla la boîte de sardines vide, les pelures de poire et le papier du fromage, les enveloppa dans le sac de l'épicerie avec les miettes de pain et déposa le tout, avec la bouteille vide, dans le coin derrière la porte ; il ôta sa valise de la chaise, remit la chaise à sa place dans l'abside, se lava les mains et se coucha. Il rabattit la couverture de laine au pied du lit et ne garda sur lui que le drap. Puis il éteignit la lampe. Il faisait tout à fait noir. Même d'en haut, du côté de la lucarne, il ne pénétrait pas dans la chambre le moindre rai de lumière ; mais uniquement le faible courant d'air moite et, de très, très loin, les bruits. Il faisait très lourd.

« Demain, je me suicide », dit-il.

Puis il s'endormit.

Dans la nuit, il y eut un orage. Ce fut l'un de ces orages qui n'éclatent pas d'un coup avec toute une série d'éclairs et de coups de tonnerre, mais qui prennent au contraire tout leur temps et retiennent longuement leurs forces. Deux heures durant, celui-là se tapit çà et là dans le ciel, avec de délicats éclairs de chaleur et des grondements discrets, glissant d'un quartier à l'autre de la ville comme s'il ne savait où se concentrer, et s'étendant de plus en plus, gonflant et gonflant sans cesse jusqu'à finir par recouvrir toute la ville comme une fine chape de plomb, puis attendant encore et se chargeant à force d'hésiter d'une tension plus puissante, toujours sans éclater... Sous cette chape, rien ne bougeait, ni le moindre souffle d'air dans l'atmosphère pesante, ni une feuille, ni un grain de poussière ne bougeait, la ville était là comme pétrifiée au point d'en trembler, pour ainsi dire, elle tremblait de cette tension paralysante, comme si ç'avait été elle l'orage, et qu'elle avait attendu d'éclater vers le ciel.

Et puis, enfin, c'était déjà vers le matin et il commençait de poindre un peu de lumière, il y eut une déflagration, une seule, aussi violente que si la ville entière avait explosé. Jonathan fit un saut de carpe dans son lit. Il n'avait pas consciemment entendu la déflagration, il avait encore moins distingué que c'était un coup de tonnerre, c'était bien pis : la déflagration, à la seconde du réveil, l'avait traversé et secoué d'une frayeur totale, d'une frayeur dont il ignorait la cause, d'une frayeur mortelle. Tout ce qu'il perçut, ce fut le retentissement de cette déflagration, l'écho multiple du tonnerre et ses grondements en cascade. Cela faisait le bruit d'immeubles s'écroulant au-dehors comme des rangées de livres, et sa première pensée fut : ça y est, voilà, c'est la fin. Et il ne songeait pas seulement à sa propre fin, mais à la fin du monde, à l'apocalypse ; à un tremblement de terre, à la bombe atomique, ou aux deux à la fois..., en tout cas, à la fin absolue.

Mais voici que, tout d'un coup, ce fut le silence total. On n'entendit plus de grondement, plus d'écroulement, plus de craquement, absolument rien, même pas l'écho de rien. Et ce silence soudain, qui durait, était

presque plus épouvantable encore que le
fracas d'un monde qui s'effondre. Car à
présent Jonathan avait bien le sentiment
d'être encore là, mais il lui semblait qu'à part
lui il n'y avait plus rien, plus rien en face,
plus rien en haut ni en bas, rien d'extérieur,
rien d'autre d'après quoi il aurait pu se
repérer. Toute espèce de perception, la vue,
l'ouïe, le sens de l'équilibre, tout ce qui aurait
pu lui dire où il était et ce qu'il était lui-
même, tout cela sombrait dans le vide total
de l'obscurité et du silence. Il ne sentait plus
que son cœur qui battait la chamade et son
corps qui tremblait. Tout ce qu'il savait
encore, c'est qu'il se trouvait dans un lit, mais
il ne savait pas quel lit, ni où il était placé...
à supposer qu'il fût placé et non en train de
tomber dans quelque abîme sans fond, car il
semblait tanguer, et Jonathan se cramponna
des deux mains au matelas pour ne pas
chavirer, pour ne pas perdre cette seule chose
qu'il avait encore dans les mains. Il s'efforça
de trouver prise dans l'obscurité avec ses
yeux, dans le silence avec ses oreilles. Il
n'entendit rien, ne vit rien, absolument rien,
son estomac se souleva, un affreux goût de
sardine lui revint, « surtout ne pas rendre »,
pensa-t-il, « surtout ne pas vomir, surtout ne
pas aller maintenant te retourner et te répandre
au-dehors ! »... Et puis, après une éternité

atroce, il vit tout de même quelque chose, à savoir une lueur infime, vers le haut, sur la droite, un tout petit peu de lumière. Il y riva son regard et s'y cramponna des yeux, à cette petite tache carrée de lumière, une ouverture, un passage entre l'intérieur et l'extérieur, une sorte de fenêtre dans une chambre..., mais quelle chambre ? Ce n'était pas *sa* chambre à lui ! Ce n'est pas ta chambre, jamais de la vie ! Dans ta chambre, la fenêtre se trouve au-dessus du pied de lit, et non comme ça, en haut, près du plafond. C'est... ce n'est pas non plus ta chambre chez ton oncle, c'est la chambre d'enfant dans la maison de tes parents, à Charenton... Non, ce n'est pas la chambre d'enfant, c'est la cave, oui, la cave, tu es dans la cave de la maison de tes parents, tu es un enfant, tu n'as fait que rêver que tu étais devenu une grande personne, un vieux vigile répugnant, à Paris, mais tu es un enfant et tu es dans la cave de la maison de tes parents, et dehors c'est la guerre, et tu es prisonnier sous les décombres, et oublié. Pourquoi n'arrivent-ils pas ? Pourquoi ne viennent-ils pas me sauver ? Pourquoi ce silence de mort ? Où sont les autres hommes ? Mon Dieu, où sont donc les autres hommes ? Je ne peux tout de même pas vivre sans les autres hommes !

Il était sur le point de crier. Il allait

lancer dans le silence cette phrase criant qu'il ne pouvait tout de même pas vivre sans les autres hommes, tellement sa détresse était grande, tellement était désespérée cette peur d'être abandonné qu'éprouvait l'enfant sénile Jonathan Noël. Mais au moment où il allait crier, il reçut une réponse. Il entendit un bruit.

On frappait. Tout doucement. Et l'on frappait encore. Puis une troisième fois et une quatrième fois, quelque part en haut. Et puis, au lieu de frapper, on se mit à tambouriner délicatement et régulièrement, et ce roulement de tambour devint de plus en plus fort, et finalement ce ne fut plus un roulement, mais un crépitement puissant et opulent, et Jonathan reconnut le crépitement de la pluie.

Alors l'espace se remit tout d'un coup en ordre, et Jonathan reconnut dans la petite tache claire et carrée la lucarne donnant sur le puits à poussière, et reconnut dans la pénombre les contours de la chambre d'hôtel, le lavabo, la chaise, la valise, les murs.

Il détacha du matelas ses mains crispées, il ramena ses jambes contre sa poitrine et les enserra dans ses bras. Ainsi replié sur lui-même, il resta assis longtemps, peut-être une demi-heure, à écouter le crépitement de la pluie.

Puis il se leva et s'habilla. Il n'eut pas

besoin d'allumer, il s'y retrouvait tout à fait dans la pénombre. Il prit sa valise, son manteau, son parapluie, et quitta la chambre. Il descendit sans bruit l'escalier. Le portier de nuit, à la réception, dormait. Jonathan passa devant lui sur la pointe des pieds et, pour ne pas le réveiller, n'appuya qu'un tout petit coup sur le bouton électrique commandant l'ouverture de la porte. Il y eut un petit « clic » et la porte s'ouvrit. Il sortit à l'air libre.

Dehors, dans la rue, il se trouva plongé dans la lumière fraîche et gris-bleu du matin. Il ne pleuvait plus. Seuls les toits s'égouttaient encore, et les auvents ruisselaient, et les trottoirs étaient pleins de flaques. Jonathan descendit vers la rue de Sèvres. A perte de vue, on ne voyait personne, et pas une auto. Les immeubles étaient là, silencieux et modestes, dans une innocence presque touchante. C'était comme si la pluie les avait lavés de leur fierté, de leur arrogance pompeuse et de tout ce qu'ils avaient de menaçant. De l'autre côté, devant le rayon d'alimentation du Bon Marché, un chat fila le long des vitrines et disparut sous les éventaires de fruits et légumes vides. A droite, dans le square Boucicaut, les arbres craquaient d'humidité. Quelques merles commençaient à siffler, leurs roulades se répercutaient contre

109

les façades, amplifiant encore le silence qui régnait sur la ville.

Jonathan traversa la rue de Sèvres et prit par la rue du Bac, pour rentrer chez lui. A chaque pas, ses semelles trempées faisaient « floc » sur l'asphalte trempé. C'est comme de marcher pieds nus, pensa-t-il, songeant plus encore au bruit qu'à la sensation poisseuse d'humidité dans ses chaussures et ses chaussettes. Il eut soudain grande envie de quitter chaussures et chaussettes, et de continuer nu-pieds ; et s'il n'en fit rien, ce ne fut que par paresse, et non parce qu'il trouvait cela inconvenant. Mais il pataugeait avec application dans les flaques, flanquant ses pieds en plein milieu, marchant en zig-zag d'une flaque à l'autre ; à un moment, il changea même de trottoir parce qu'il avait vu de l'autre côté une flaque particulièrement belle et grande, et il y posa bien à plat ses semelles clapotantes, faisant gicler l'eau contre les vitrines d'un côté et les voitures garées de l'autre, et sur ses jambes de pantalon, c'était un délice, il dégustait cette petite cochonnerie enfantine comme une grande liberté retrouvée. Et il était encore tout exalté et ravi lorsqu'il arriva rue de la Planche, pénétra dans l'immeuble, passa devant la loge fermée de Mme Rocard, traversa la cour et gravit l'étroit escalier de service.

C'est seulement en haut, en approchant du sixième étage, qu'il eut le cœur serré en songeant au terme du trajet : là-haut, le pigeon l'attendait, la bête atroce. Il allait la trouver posée au fond du couloir, sur ses pattes rouges et crochues, entourée d'excréments et de duvet flottant alentour, elle serait là à attendre, avec son œil épouvantablement nu, et elle prendrait son essor en claquant des ailes et l'effleurerait, lui, Jonathan, impossible d'esquiver, dans le couloir exigu...

Il posa sa valise et s'arrêta, bien qu'il n'eût plus que cinq marches à monter. Il ne voulait pas faire demi-tour. Il voulait seulement faire une petite pause d'une minute, reprendre un peu son souffle, laisser son cœur se calmer un peu avant de faire la dernière portion du trajet.

Il regarda en arrière. Ses yeux suivirent, dans les profondeurs de l'escalier, les volutes ovales de la rampe, et il vit à chaque étage les rayons lumineux qui faisaient irruption par côté. La lumière du matin avait perdu sa teinte bleutée pour devenir plus jaune et plus chaude, lui sembla-t-il. Venant des appartements bourgeois, il entendit les premiers bruits de l'immeuble qui s'éveillait : le tintement de bols, le claquement sourd d'une porte de réfrigérateur, la musique en sourdine d'une radio. Et puis soudain parvint à sa

narine un parfum familier, l'arôme du café
de Mme Lassalle, et il en aspira quelques
bouffées : il eut l'impression qu'il buvait de
ce café. Il prit sa valise et se remit en marche.
Tout d'un coup, il n'avait plus peur.

En pénétrant dans le couloir, il vit aussitôt deux choses, d'un seul coup d'œil : la
fenêtre refermée, et une serpillière étalée,
pour qu'elle sèche, sur le petit lavabo, à côté
des w.-c. de l'étage. Il ne voyait pas encore
jusqu'au fond du couloir, la vive lumière qui
passait à travers la fenêtre formait un bloc
éblouissant qui lui barrait la vue. Il continua
d'avancer avec une sorte d'absence de crainte,
il traversa la lumière et pénétra dans l'ombre
qui venait derrière. Le couloir était complètement vide. Le pigeon avait disparu. Les
taches, sur le sol, étaient nettoyées. Sur le
carrelage rouge ne frémissait pas la moindre
plume ni le moindre duvet.

LA LITTÉRATURE ÉTRANGÈRE
CHEZ FAYARD

Isabel Allende : *La Maison aux esprits,* trad. de l'espagnol (Chili) par Claude et Carmen Durand ; *D'amour et d'ombre,* trad. Cl. et C. Durand.

Anthologie de la prose albanaise, présentée par Alexandre Zotos, textes traduits par Jusuf Vrioni, A. Zotos, Luan Gjergji.

Hermann Burger : *La Mère artificielle,* trad. de l'allemand par Françoise Salvetti et Olga Weissert.

Joseph Conrad, Ford Madox Ford : *L'Aventure,* trad. de l'anglais par Marc Chadourne.

Julio Cortázar : *Les Gagnants,* trad. de l'espagnol (Argentine) par Laure Guille-Bataillon.

Juan Goytisolo : *Paysages après la bataille,* trad. de l'espagnol par Aline Schulman ; *Chroniques sarrasines,* trad. Dominique Chatelle et Jacques Rémy-Zéphir ; *Chasse gardée,* trad. A. Schulman.

Henry James : *L'Américain,* trad. de l'anglais par Gilles Chahine ; *Roderick Hudson,* trad. Marie Tadié.

Ismaïl Kadaré : *Les Tambours de la pluie,* trad. de l'albanais par Jusuf Vrioni ; *Chronique de la ville de pierre,* trad. J. Vrioni ; *Le Grand Hiver,* trad. anonyme ; *Le Crépuscule des dieux de la steppe,* trad. anonyme ; *Avril brisé,* trad. J. Vrioni ; *Le Pont aux trois arches,* trad. J. Vrioni ; *La Niche de la honte,* trad. J. Vrioni ; *Invitation à un concert officiel et autres récits,* trad. J Vrioni et Alexandre Zotos ; *Qui a ramené Doruntine ?* trad. J. Vrioni ; *L'Année noire,* suivi de *Le cortège de la noce s'est figé dans la glace,* trad. J. Vrioni et Alexandre Zotos.

Jerzy Kosinski : *Le Jeu de la passion,* trad. de l'américain par Bernard Mocquot.

Édouard Kouznetsov : *Roman russe,* trad. du russe par Maya Minoustchine.

Thomas Mann : *Les Buddenbrook,* trad. de l'allemand par Geneviève Bianquis ; *La Montagne magique,* trad. Maurice Betz ; *La Mort à Venise,* suivi de *Tristan,* trad. G. Bianquis.

Vladimir Maximov : *La Coupe de la fureur,* trad. du russe par Alain Préchac.

Mary McCarthy : *Cannibales et Missionnaires,* trad. de l'anglais par Angélique Lévi.

Czeslaw Milosz : *Visions de la baie de San Francisco,* trad. du polonais par Marie Bouvard ; *Milosz par Milosz,* entretiens de Czeslaw Milosz avec Ewa Czarnecka et Aleksander Fiut, trad. Daniel Beauvois.

Karl Philipp Moritz : *Anton Reiser,* trad. de l'allemand par Georges Pauline, préface de Michel Tournier.

Vladimir Nabokov : *Ada ou l'Ardeur,* trad. de l'anglais par Gilles Chahine, avec la collaboration de Jean-Bernard Blandenier ; *Regarde, regarde les arlequins !* trad. J.-B. Blandenier ; *La Transparence des choses,* trad. Donald Harper et J.-B. Blandenier ; *Machenka,* trad. Marcelle

Sibon ; *Littératures I* (Austen, Dickens, Flaubert, Stevenson, Proust, Kafka, Joyce), trad. Hélène Pasquier ; *Littératures II* (Gogol, Tourguéniev, Dostoïevski, Tolstoï, Tchekhov, Gorki), trad. Marie-Odile Fortier Masek ; *Littératures III (Don Quichotte)*, trad. H. Pasquier.

Edna O'Brien : *Un cœur fanatique,* trad. de l'anglais par Léo Dilé.

Mykhaylo Ossadchy : *Cataracte,* trad. de l'ukrainien par Kaléna Uhryn.

Fernando del Paso : *Palinure de Mexico,* trad. de l'espagnol (Mexique) par Michel Bibard.

Leo Perutz : *Turlupin,* trad. de l'allemand par Jean-Claude Capèle ; *La Neige de saint Pierre,* trad. de J.-C. Capèle.

Frederic Prokosch : *Voix dans la nuit,* trad. de l'anglais par Léo Dilé.

Barbara Pym : *Crampton Hodnet,* trad. de l'anglais par Bernard Turle.

Alberto Savinio : *Souvenirs,* trad. de l'italien par Jean-Marie Laclavetine ; *Hermaphrodito,* trad. René de Ceccatty.

Leonardo Sciascia : *Mots croisés,* trad. de l'italien par Michel Orcel, Mario Fusco et Jean-Noël Schifano ; *Petites Chroniques,* trad. J.-N. Schifano et Bertrand Visage ; *Œil de chèvre,* trad. Maurice Darmon.

Richard Sennett : *Les Grenouilles de Transylvanie,* trad. de l'américain par Philippe Mikriammos ; *Une soirée Brahms,* trad. Ph. Mikriammos.

Alexandre Soljénitsyne : *Œuvres complètes* (version définitive) : tome 1 : *Le Premier Cercle,* trad. du russe par Louis Martinez ; tome 2 : *Le Pavillon des cancéreux, Une journée d'Ivan Denissovitch,* et autres récits, trad. Alfreda et Michel Aucouturier, Lucile et Georges Nivat, Jean-Paul Sémon, Lucia et Jean Cathala, Léon et Andrée Robel ; tome 3 : *Œuvres dramatiques,* trad. Alain Préchac, Dimitri Sesemann, A. Aucouturier ; *Les Tanks connaissent la vérité,* trad. D. Sesemann ; *La Roue rouge*

LE PIGEON

(version définitive) — *Premier Nœud : août 14,* trad. J.-
P. Sémon, A. et M. Aucouturier, G. Nivat, Geneviève
et José Johannet ; — *Deuxième Nœud : novembre 16,*
trad. Anne Coldefy, G. et J. Johannet, Françoise Louge
et J.-P. Sémon.

Osvaldo Soriano : *Jamais plus de peine ni d'oubli,* trad. de
l'espagnol (Argentine) par Marie-France de Paloméra ;
Je ne vous dis pas adieu, trad. Laure Guille-Bataillon.

Muriel Spark : *Intentions suspectes,* trad. de l'anglais par A.
Delahaye ; *La Place du conducteur,* trad. Alain Delahaye ;
L'Unique Problème, trad. Léo Dilé ; *Ne pas déranger,* trad.
Jean-Bernard Blandenier ; *Une serre sur l'East River,* trad.
Philippe Mikriammos ; *Les Célibataires,* trad. L. Dilé ;
Pan ! pan ! tu es morte, trad. L. Dilé.

Patrick Süskind : *Le Parfum,* trad. de l'allemand par
Bernard Lortholary ; *Le Pigeon,* trad. B. Lortholary.

Adam Zagajewski : *Solidarité, solitude,* trad. du polonais par
Laurence Dyèvre ; *Coup de crayon,* trad. L. Dyèvre.

Histoire de la littérature japonaise, par Shuichi Kato, trad. du
japonais par E. Dale Saunders.
Histoire de la littérature polonaise, par Czeslaw Milosz, trad.
de l'anglais par André Kozimor.

Le port sera payé par

...mbre au Canada

Châtelaine

1001, boul. de Maisonneuve ouest
Bureau 1100
Montréal (Québec)
H3A 9Z9

Sur votre bureau, la tablette de la cheminée ou le comptoir...

Cette horloge est VOTRE CADEAU avec *L'actualité*
à la moitié du prix en kiosque*

- Affiche l'heure, la date et les secondes
- Affichage numérique très grand

ÉCONOMISEZ 50 %*

☐ Facturez-moi 25 $ pour 20 numéros.
Envoyez-moi la prime sur paiement.

SERVICE PRIORITAIRE

☐ J'inclus 25 $. **Expédiez-moi ma prime !**

Prénom _____ Nom _____

Adresse _____

Ville _____ Province _____ Code postal ☐☐☐ ☐☐☐

ÉCONOMIES À LONG TERME

☐ Facturez-moi 37,50 $ pour 30 numéros.
Envoyez-moi la prime sur paiement.

SERVICE PRIORITAIRE

☐ J'inclus 37,50 $. **Expédiez-moi ma prime !**

Débitez mon compte:

☐ VISA
☐ Mastercard
☐ American Express

No de carte _____

Expiration _____ Signature _____

F

Correspondance-réponse
d'affaires

Se poste sans timbre au Canada

Le port sera payé par

L'actualité

1001, boul. de Maisonneuve ouest
Bureau 1100
Montréal (Québec)
H3A 9Z9

Canada Post Corporation • Société canadienne des postes •

16807

Cet ouvrage a été réalisé sur
Système Cameron
par la SOCIÉTÉ NOUVELLE FIRMIN-DIDOT
Mesnil-sur-l'Estrée
pour le compte des Éditions Fayard
en mai 1987

Imprimé en France
Dépôt légal : juin 1987
N° d'édition : 4569 – N° d'impression : 6979
35-67-7735-03
ISBN 2-213-01963-0

35-7735-0